Biblioteca Era

Elena Poniatowska
De noche vienes

Elena Poniatowska

De noche vienes

Ediciones Era

Edición original: Editorial Grijalbo, 1979
Primera edición en Biblioteca Era: 1985
Undécima reimpresión: 2001
ISBN: 968-411-136-3
DR © 1985, Ediciones Era, S. A. de C. V.
Calle del Trabajo 31, 14269 México, D. F.
Impreso y hecho en México
Printed and made in Mexico

A Jan
(1947-1968)

Índice

La ruptura

Ella sintió que las palabras aleteaban en el cuarto antes de que él las dijera. Con una mano se alisó el cabello, con la otra pretendió aquietar los latidos de su corazón. De todos modos, había que preparar la cena, hacer cuentas. Pero las palabras iban de un lado a otro revoloteando en el aire (sin posarse) como mariposas negras, rozándole los oídos. Sacó el cuaderno de cocina y un lápiz; la punta era tan afilada que al escribir rompió la hoja, eso le dolió. Las paredes del cuarto se estrechaban en torno a ella y hasta el ojo gris de la ventana parecía observarla con su mirada irónica. Y el saco de Juan, colgado de la percha, tenía el aspecto de un fantasma amenazante. ¿Dónde habría otro lápiz? En su bolsa estaba uno, suave y cálido. Apuntó: gas $ 18.00; leche $ 2.50; pan $ 1.25; calabacitas $ 0.80. El lápiz se derretía tierno sobre los renglones escolares, casi como un bálsamo. ¿Qué darle de cenar? Si por lo menos hubiera pollo; ¡le gustaba tanto! Pero no, abriría una lata de jamón endiablado. Por amor de Dios, que el cuarto no fuera a oler a gas.

Juan seguía fumando boca arriba sobre la cama. El humo de su cigarro subía, perdiéndose entre sus cabellos negros y azules.

—¿Sabes, Manuela?

Manuela sabía. Sabía que aún era tiempo.

—Lo sé, lo sé. Te divertiste mucho en las vacaciones. Pero ¿qué son las vacaciones, Juan? No son más que un largo domingo y los domingos envilecen al hombre. Sí, sí, no me interrumpas. El hombre a secas, sin la dignidad que le confieren sus dos manos y sus obligaciones cotidianas... ¿No te has fijado en lo torpe que se ven los hombres en la playa, con sus camisas estampadas, sus bocas abiertas, sus quemaduras de sol y el lento pero seguro empuje de su barriga? (¡Dios mío! ¿qué es lo que digo? ¡Estoy equivocándome de camino!)

—¡Ay, Manuela! —musitó Juan—, ¡ay mi institutriz inglesa! ¿Habrá playas en el cielo, Manuela? ¿Grandes campos de trigo que se mezclan entre las nubes?

Juan se estiró, bostezó de nuevo, encogió las piernas, se arrellanó y volvió la cara hacia la pared. Manuela cerró el cuaderno y también volvió la cara hacia la pared donde estaba la repisa cubierta de objetos que se había comprado con muchos trabajos. Como tantas mujeres solteras y nerviosas, Manuela había poblado su deseo de *objetos maravillosos* absolutamente indispensables a su estabilidad. Primero una costosa reproducción de Fra Diamante, de opalina azul con estrellitas de oro. "¡El Fra Diamante, cielito santo, si no lo tengo me muero!" El precio era mucho más alto de lo que ella creía. Significó horas extras en la oficina, original y tres copias, dos nuevas monografías, prólogos para libros estudiantiles y privarse del teatro, de la mantequilla, de la copita de coñac con la cual conciliaba el sueño. Pero finalmente lo adquirió. Después de quince días jubilosos en que el Fra Diamante iluminó todo el cuarto, Manuela sintió que su deseo no se había colmado. Siguieron la caja de música con las primeras notas de la *Pastoral* de Beethoven, el supuesto paisaje de Velasco pintado en una postal con todo y sus estampillas, el reloj antiguo en forma de medallón que debió pertenecer a una joven acameliada y tuberculosa, el samovar de San Petersburgo como el de *La dama del perrito* de Chejov. Manuela paseaba su virginidad por todos estos objetos como una hoja seca.

Hasta que un día vino Juan con las manos suaves como hojas tersas llenas de savia.

Primero no vio en él más que un estudiante de esos que oyen eternamente el mismo disco de jazz, con un cigarro en la boca y un mechón sobre los ojos, ¿cómo se puede querer tanto un mechón de pelo? De esos que turban a las maestras porque son pantanosos y puros como el unicornio, tan falso en su protección de la doncella.

—Maestra, podría usted explicarme después de la clase...

El tigre se acercó insinuante y malévolo. Manuela caló a fondo sus anteojos. Sí, era de esos que acaban por dar rasguños tan profundos que tardan años en desaparecer. Se deslizaba a su alrededor. A cada rato estaba en peligro de caerse, porque cruzaba delante de ella, sin mirarla pero rugiendo cosas incomprensibles como las que se oyen en el cielo cuando va a llover.

Y un día le lamió la mano. Desde aquel momento, casi inconscientemente, Manuela decidió que Juan sería el próximo objeto maravilloso que llevaría a su casa. Le pondría un collar y una cadena. Lo conduciría hasta su departamento y su cuerpo suave rozaría sus piernas al caminar. Allá lo colocaría en la repisa al lado de sus otros antojos. Quizá Juan los haría añicos pero ¡qué importaba! la colección de *objetos maravillosos* llegaría a su fin con el tigre finalmente disecado.

Antes de tomar una decisión irrevocable, Manuela se fue a confesar:

—Fíjese, padre, que sigo con esa manía de comprar todo objeto al que me aficiono y esta vez quisiera llevarme un tigrito...

—¿Un tigre? Bueno, está bien, también los tigres son criaturas de Dios. Cuídalo mucho y lo devuelves al zoológico cuando esté demasiado grande. Acuérdate de San Francisco.

—Sí, padre, pero es que este tigre tiene cara de hombre y ojos de tigre y retozar de tigre y todo lo demás de hombre.

—¡Ah, ése ha de ser una especie de *Felinantropus* peligrosamente *erectus*! ¡Hija de mi alma! En esta Facultad de Filosofía y Letras les enseñan a los alumnos cosas extrañas... El advenimiento del nominalismo o sea la confusión del nombre con el hombre ha llevado a muchas jóvenes a desvariar y a trastocar los valores. Ya no pienses en tonterías y como penitencia rezarás un rosario y trescientas tres jaculatorias.

—¡Ave María Purísima!

—¡Sin pecado concebida!

Manuela rezó el rosario y las jaculatorias: "¡Tigre rayado, ruega por mí! ¡Ojos de azúcar quemada, rueguen por mí! ¡Ojos de obsidiana, rueguen por mí! ¡Colmillos de marfil, muérdanme el alma! ¡Fauces, desgárrenme por piedad! ¡Paladar rosado, trágame hasta la sepultura! ¡Que los fuegos del infierno me quemen! ¡Tigre devorador de ovejas, llévame a la jungla! ¡Truéname los huesitos! ¡Amén!"

Terminadas las jaculatorias, Manuela volvió a la Facultad. Juan sonreía mostrándole sus afilados caninos. Esa misma tarde, vencida, Manuela le puso el collar y la cadena y se lo llevó a su casa.

—Manuela, ¿qué tienes para la cena?

—Lo que más te gusta, Juan. Mameyes y pescado crudo, macizo y elástico.

—¿Sabes, Manuela? Allá en las playas perseguía yo a muchachas inmensamente verdes que en mis brazos se volvían rosas. Cuando las abrazaba eran como esponjas lentas y absorbentes. También capturaba sirenas para llevarlas a mi cama y se convertían en ríos toda la noche.

Juan desaparecía cada año en la época de las vacaciones y Manuela sabía que una de esas escapadas iba a ser definitiva... Cuando Juan la besó por primera vez tirándole los anteojos en un pasillo de la Facultad, Manuela le dijo que no, que la gente sólo se besa después de una larga amistad, después de un asedio constante y tenaz de palabras, de proyectos. La gente se besa siempre con fines ulteriores: casarse y tener niños y tomar buen rumbo, nada de pastelearse. Manuela tejía una larga cadena de compromisos, de res-pon-sa-bi-li-da-des.

—Manuela, eres tan torpe como un pájaro que trata de volar, ojalá y aprendas. Si sigues así, tus palabras no serán racimos de uvas sino pasas resecas de virtud...

—Es que los besos son raíces, Juan.

Sobre la estufa, una mosca yacía inmóvil en una gota de almíbar. Una mosca tierna, dulce, pesada y borracha. Manuela podría matarla y la mosca ni cuenta se daría. Así son las mujeres enamoradas: como moscas panzonas que se dejan porque están llenas de azúcar.

Pero sucedió algo imprevisto: Juan, en sus brazos, empezó a convertirse en un gato. Un gato perezoso y familiar, un blando muñeco de peluche. Y Manuela, que ambicionó ser devorada, ya no oía sino levísimos maullidos.

¿Qué pasa cuando un hombre deja de ser tigre? Ronronea alrededor de las domadoras caseras. Sus impetuosos saltos se convierten en raquíticos brinquitos. Se pone gordo y en lugar de enfrentarse a los reyes de la selva, se dedica a cazar ratones. Tiene miedo de caminar sobre la cuerda floja. Su amor, que de un rugido poblaba de pájaros el silencio, es sólo un suspiro sobre el tejado a punto de derrumbarse.

Ante la transformación, Manuela aumentó a cuatrocientos siete el número de jaculatorias: "¡Tigre rayado, sólo de noche vienes! ¡Hombre atigrado, retumba en la tormenta! ¡Rayas oscuras, trué-quense en miel! ¡Vetas sagradas, llévenme hasta el fondo de la mina! ¡Cueva de helechos, algas marinas humedezcan mi alma! ¡Tigre, tigre zambúllete en mi sangre! ¡Cúbreme de nuevo de llagas deliciosas! ¡Rey de los cielos, únenos de una vez por todas y mátanos en una sola soldadura! ¡Virgen improbable, déjame morir en la cúspide de la ola!" Si las jaculatorias surtieron efecto, Manuela no lo consignó en su diario. Sólo escribió un día con pésima letra —seguramente lo hizo sin anteojos— que su corazón se le había ido por una rendija en el piso y que ojalá y ella pudiera algún día seguirlo.

Juan prendió un nuevo cigarro. El humo subió lentamente, concéntrico como holocausto.

—Manuela, tengo algo que decirte. Allá en la playa conocí a...

Ya estaba: el río apaciguado se desbocaba y las palabras brotaban torrenciales. Se desplomaban como frutas excesivamente maduras que empiezan a pudrirse. Frutas redondas, capitosas, primitivas. Hay palabras antediluvianas que nos devuelven al estado esencial: entre arenas, palmeras, serpientes cubiertas por el gran árbol verde y dorado de la vida.

Y Manuela vio a Juan entre el follaje, repasando su papel de tigre para otra Eva inexperta.

Sin embargo, Manuela y Juan hablaron. Hablaron como nunca lo habían hecho antes y con las palabras de siempre. A la hora de la ruptura se abren las compuertas de la presa. (A nadie se le ha ocurrido construir para su convivencia un vertedor de demasías.) Después de un tiempo, la conversación tropezó con una fuerza hostil e insuperable. El diálogo humano es una necesidad misteriosa. Por encima de las palabras y de todos sus sentidos, por encima de la mímica de los rostros y de los ademanes, existe una ley que se nos escapa. El tiempo de comunicación está estrictamente limitado y más allá sólo hay desierto y soledad y roca y silencio.

—Manuela, ¿sabes lo que quisiera hoy de cena?
—¿Qué?
(En el silencio ya no hubo pájaros.)
—Un poquito de leche.
—Sí, gato, está bien.
(Había en la voz de Manuela una cicatriz, como si Juan la hubiera lacerado, enronquecido; ya no daría las notas agudas de la risa, no alcanzaría jamás el desgarramiento del grito, era un fogón de cenizas apagadas.)
—Sólo un poquito.
—Sí, gato, ya te entendí.

Y Manuela tuvo que admitir que su tigre estaba harto de carne cruda. ¡Cómo se acentuaba esa arruga en su frente! Manuela se llevó la mano al rostro con lasitud. Se tapó la boca. Juan era un gato, pero suyo para siempre... ¡Cómo olía aquel cuarto a gas! Tal vez Juan ni siquiera notaría la diferencia... Sería tan fácil abrir otro poco la llave antes de acostarse, al ir por el platito de leche...

15

Herbolario

1. LA IDENTIDAD

Yo venía cansado. Mis botas estaban cubiertas de lodo y las arrastraba como si fueran féretros. La mochila se me encajaba en la espalda, pesada. Había caminado mucho, tanto que lo hacía como un animal que se defiende. Pasó un campesino en su carreta y se detuvo. Me dijo que subiera. Con trabajos me senté a su lado. Calaba frío. Tenía la boca seca, agrietada en la comisura de los labios; la saliva se me había hecho pastosa. Las ruedas se hundían en la tierra dando vuelta lentamente. Pensé que debía hacer el esfuerzo de girar como las ruedas y empecé a balbucear unas cuantas palabras. Pocas. Él contestaba por no dejar y seguimos con una gran paciencia, con la misma paciencia de la mula que nos jalaba por los derrumbaderos, con la paciencia del mismo camino, seco y vencido, polvoso y viejo, hilvanando palabras cerradas como semillas, mientras el aire se enrarecía porque íbamos de subida —casi siempre se va de subida—, hablamos, no sé, del hambre, de la sed, de la montaña, del tiempo, sin mirarnos siquiera. Y de pronto, en medio de la tosquedad de nuestras ropas sucias, malolientes, el uno junto al otro, algo nos atravesó blanco y dulce, una tregua transparente. Y nos comunicamos cosas inesperadas, cosas sencillas, como cuando aparece a lo largo de una jornada gris un espacio tierno y verde, como cuando se llega a un claro en el bosque. Yo era forastero y sólo pronuncié unas cuantas palabras que saqué de mi mochila, pero eran como las suyas y nada más las cambiamos unas por otras. Él se entusiasmó, me miraba a los ojos, y bruscamente los árboles rompieron el silencio. "Sabe, pronto saldrá el agua de las hendiduras." "No es malo vivir en la altura. Lo malo es bajar al pueblo a echarse un trago porque luego allá andan las viejas calientes. Después es más difícil volver a remontarse, nomás acordándose de ellas"... Dijimos que se iba a quitar el frío, que allá lejos estaban los nubarrones empujándolo y que la cosecha podía ser buena. Caían nuestras palabras como gruesos terrones, como varas resecas, pero nos entendíamos.

Llegamos al pueblo donde estaba el único mesón. Cuando bajé de la carreta empezó a buscarse en todos los bolsillos, a vaciarlos, a voltearlos al revés, inquieto, ansioso, reteniéndome con los ojos: "¿Qué le regalaré? ¿Qué le regalo? Le quiero hacer un regalo..." Buscaba a su alrededor, esperanzado, mirando el cielo, mirando el campo. Hurgoneó de nuevo en su vestido de miseria, en su pantalón tieso, jaspeado de mugre, en su saco usado, amoldado ya a su cuerpo, para encontrar el regalo. Vio hacia arriba, con una mirada circular que quería abarcar el universo entero. El mundo permanecía remoto, lejano, indiferente. Y de pronto todas las arrugas de su rostro ennegrecido, todos esos surcos escarbados de sol a sol, me sonrieron. Todos los gallos del mundo habían pisoteado su cara, llenándola de patas. Extrajo avergonzado un papelito de no sé dónde, se sentó nuevamente en la carreta y apoyando su gruesa mano sobre las rodillas tartamudeó:

—Ya sé, le voy a regalar mi nombre.

2. LAS LAVANDERAS

En la humedad gris y blanca de la mañana, las lavanderas tallan su ropa. Entre sus manos el mantel se hincha como pan a medio cocer, y de pronto revienta con mil burbujas de agua. Arriba sólo se oye el chapoteo del aire sobre las sábanas mojadas. Y a pesar de los pequeños toldos de lámina, siento como un gran ruido de manantial. El motor de los coches que pasan por la calle llega atenuado; jamás sube completamente. La ciudad ha quedado atrás; retrocede, se pierde en el fondo de la memoria.

Las manos se inflaman, van y vienen, calladas; los dedos chatos, las uñas en la piedra, duras como huesos, eternas como conchas de mar. Enrojecidas de agua, las manos se inclinan como si fueran a dormirse, a caer sobre la funda de la almohada. Pero no. La terca mirada de doña Otilia las reclama. Las recoge. Allí está el jabón, el pan de a cincuenta centavos y la jícara morena que hace saltar el agua. Las lavanderas tienen el vientre humedecido de tanto recargarlo en la piedra porosa y la cintura incrustada de gotas que un buen día estallarán.

A doña Otilia le cuelgan cabellos grises de la nuca: Conchita es la más joven, la piel restirada a reventar sobre mejillas redondas (su rostro es un jardín y hay tantas líneas secretas en su mano); y doña Matilde, la rezongona, a quien siempre se le amontona la ropa.

—Del hambre que tenían en el pueblo el año pasado, no dejaron nada para semilla.

—Entonces ¿este año no se van a ir a la siembra, Matildita?

—Pues no, pues ¿qué sembramos? ¡No le estoy diciendo que somos un pueblo de muertos de hambre!

—¡Válgame Dios! Pues en mi tierra, limpian y labran la tierra como si tuviéramos maíz. ¡A ver qué cae! Luego dicen que lo trae el aire.

—¿El aire? ¡Jesús mil veces! Si el aire no trae más que calamidades. ¡Lo que trae es puro chayotillo!

Otilia, Conchita y Matilde se le quedan viendo a doña Lupe que acaba de dejar su bulto en el borde del lavadero.

—Doña Lupe ¿por qué no había venido?

—De veras, doña Lupe, hace muchos días que no la veíamos por aquí.

—Ya la andábamos extrañando.

Las cuatro hablan quedito. El agua las acompaña, las cuatro encorvadas sobre su ropa, los codos paralelos, los brazos hermanados.

—Pues ¿qué le ha pasado, Lupita, que nos tenía tan abandonadas?

Doña Lupe, con su voz de siempre, mientras las jícaras jalan el agua para volverla a echar sobre la piedra, con un ruido seco, cuenta que su papá se murió (bueno, ya estaba grande), pero con todo y sus años era campanero, por allá por Tequisquiapan y lo querían mucho el señor cura y los fieles. En la procesión, él era quien le seguía al señor cura, el que se quedaba en el segundo escalón durante la santa misa, bueno, le tenían mucho respeto. Subió a dar las seis como siempre, y así, sin aviso, sin darse cuenta siquiera, la campana lo tumbó de la torre. Y repite doña Lupe más bajo aún, las manos llenas de espuma blanca:

—Sí. La campana lo mató. Era una esquila, de esas que dan vuelta.

Se quedan las tres mujeres sin movimiento bajo la huida del cielo. Doña Lupe mira un punto fijo:

—Entonces, todos los del pueblo agarraron la campana y la metieron a la cárcel.

—¡Jesús mil veces!

—Yo le voy a rezar hasta muy noche a su papacito...

Arriba el aire chapotea sobre las sábanas.

3. CANCIÓN DE CUNA

A una señorita bien educada para que olvide a quien no le conviene

Es preferible dejarse rodar de la cama para que no empiece el día ni con el izquierdo ni con el otro. Dos vueltas y ya está usted en el tapete. Las señoritas bien educadas tienen un tapetito al pie de su cama, el suelo está frío... ¿Recordar los gatos? No, ¡Dios mío! Parece que se tragaron la noche. ¡Cómo gritaban! ¡Qué gatos tan llenos de noche! La gata negra gemía despacio primero, luego más fuerte y de pronto su maullido reventó en mil oídos. Una vez los buscó en la azotea. Le costó trabajo, pero allí estaban los ojos debajo de un tinaco: ojos turbios con lentos canales amarillos que iban lejos, lejos. Obstinada en su miel, comenzó a dejarse ir; temblando, atrapada como un buzo; se alargaron los ojos, se hicieron múltiples, gato y gata, gato y gata agazapados, arqueándose, a punto de saltar, quejándose, unidos en el mismo alarido, gato y gata juntos en su cuerpo. ¡Dios mío!

Un desayuno sustancioso siempre apacigua. Si el cuarto de baño se espesa de neblina, tanto mejor pero ¿para qué detenerse ante el espejo, quitarle el vaho con la mano y ver el rostro de la mañana todo arañado de gatos? "¿Soy yo?" Le aconsejo salir a pisar el día con pasos de sargento, empujarlo hasta la noche, no dejar que se convierta en cadáver, porque cargarlo está muy por encima de las fuerzas de una señorita bien educada.

Después de las abluciones, puede usted entregarse a sacudimientos y acomodos. No es recomendable usar el plumero de plumas pintadas de violeta porque las nubecillas de polvo son todavía más melancólicas. Y por favor no repegue los muebles contra la pared, deje siempre un espacio para que detrás de las sillas quepa el Ángel de la Guarda. De un arreglo floral puede usted pasar a la cocina a ocuparse del pastel de los ahijados, sin más transición que un puñito de alimento a la pecera, casi como rociar un asado. Y por favor no teja al pie de la ventana, no se haga penélope, que no hay moros en la costa azul del cielo. Podría quedarse así ochenta años desmadejando sueños. Dé usted cuatro vueltas a la manzana oyendo el redoble de un tambor imaginario. ¡Atención! Una moción de orden, señorita. El día la está cercando. No se deje. No deje que se le monte encima. Cójalo usted con sus dos manos, como un bloque de topacio y arrójelo amortajado en el crepúsculo, óigalo caer como piedra en el pozo, déle la espalda y no se atreva a salirme con la zarandaja aquella de que usted no le hace falta a nadie y bien puede estrellar honestamente su vida contra el suelo.

Al atardecer, la luz cede conmovida. Los esfuerzos serán premiados. Pero todos los gatos son pardos. Por las dudas, échese usted en la cama y recite sus oraciones sin erratas. Archive todos sus desengaños. Una tacita de tila, de manzanilla o de té limón, con una pizca de valeriana y dos terroncitos de azúcar, para olvidar, dan muy buen resultado. La bolsa de agua caliente siempre reconforta, a falta de otra cosa. (Pero ¡qué cosas se le ocurren, criatura de Dios! ¡Dése un champú con agua bendita!) A las diez de la noche es de tomarse en cuenta, señorita de buena familia, que está por conciliar un sueño reparador.

> A la rorro niña,
> a la rorrorró,
> duérmete mi niña,
> duérmete mi amor.

Ya que se está usted sintiendo vieja y buena y sana e irreprochable, los párpados caen pesados y comprensivos.

> Gorrioncita hermosa
> pico de coral,
> te traigo una jaula
> de puro cristal.

Bajo el cuerpo contrito yace la tierra con sus grutas, sus ríos que se mueven a grandes rayas, su cruce de caminos, su fuego, su oro, sus diamantes sumergidos en el carbón, y más abajo todavía, se percibe el sordo latido de la lava; el lento palpitar de la materia gelatinosa y grasienta que se hincha de lodo espeso como crema, de resinas, de espuma, de brea, de lúpulo, de felpas, de lagunas de fondo verdinoso, de sedimentos blancos, la tierra que estalla en volcanes como espinillas impúberes, la tierra que se cubre de vegetaciones capilares y sombrea su labio con un bozo de musgo insatisfecho. Éste es el momento decisivo. Sobre todo, no abra los ojos, porque la noche se mete hasta adentro y se pone a bailar en las pupilas. Y de golpe todo arde. Mi amor, te quiero. Mi amor, no puedo estar sin ti. No puedo. Este día ya no me cabe con su afán. Y los lirios del campo, desnudos. Día estúpido e inútil. Mi amor. Mis cabellos están tristes y los tuyos de tan negros son azules y se hacen más tiernos y más míos en tu nuca.

Para defenderse, sólo tiene usted, decentísima señorita, el blanco escudo de la almohada.

4. ESPERANZA NÚMERO EQUIVOCADO

Esperanza siempre abre el periódico en la sección de sociales y se pone a ver a las novias. Suspira: "Ay, señorita Diana, cuándo la veré a usted así". Y examina, infatigable, los rostros de cada una de las felices desposadas. "Mire, a ésta le va a ir de la patada..." "A esta otra pue que y se le haga..." "Ésta ya se viene fijando en otro. Ya ni la amuela. Creo que es el padrino..." Sigue hablando de las novias, obsesiva y maligna. Con sus uñas puntiagudas —"me las corto de triangulito, para arañar, así se las había de limar la señorita"—, rasga el papel y bruscamente desaparece la nariz del novio, o la gentil contrayente queda ciega: "Mire, niña Diana, qué chistosos se ven ahora los palomos". Le entra una risa larga, larga, larga, entrecortada de gritos subversivos: "Ji ¡Ji! ¡Ji! ¡Ji! ¡Jiiii!", que sacude su pequeño cuerpo de arriba a abajo. "No te rías tanto, Esperanza, que te va a dar hipo."

A veces Diana se pregunta por qué no se habrá casado Esperanza. Tiene un rostro agradable, los ojos negros muy hundidos, un leve bigotito y una patita chueca. La sonrisa siempre en flor: Es bonita y se baña diario.

Ha cursado cien novios: "No le vaya a pasar lo que a mí, ¡que de tantos me quedé sin ninguno!" Ella cuenta: "Uno era decente, un señor ingeniero, fíjese usted. Nos sentábamos el uno al lado del otro en una banca del parque y a mí me daba vergüenza decirle que era criada y me quedé silencia".

Conoció al ingeniero por un *equivocado*. Su afición al teléfono la llevaba a entablar largas conversaciones. "No, señor, está usted equivocado. Ésta no es la familia que usted busca, pero ojalá y fuera." "Carnicería La Fortuna." "No, es una casa particular, pero qué fortuna..." Todavía hoy, a los cuarenta y ocho años, sigue al acecho de los equivocados. Corre al teléfono con una alegría expectante: "Caballero, yo no soy Laura Martínez, soy Esperanza..." Y a la vez siguiente: "Mi nombre es otro, pero ¿en qué puedo servirle?" ¡Cuánto correo del corazón! Cuántos: "Nos vemos en la puerta del cine Encanto. Voy a llevar un vestido verde y un moño rojo en la cabeza..." ¡Cuántas citas fallidas! ¡Cuántas idas a la esquina a ver partir las esperanzas! Cuántos: "¡Ya me colgaron!" Pero Esperanza se rehace pronto y tres o cuatro días después, allí está nuevamente en servicio, dándole vuelta al disco, metiendo el dedo en todos los números, componiendo cifras al azar a ver si de pronto alguien le contesta y le dice, como Pedro Infante: "¿Quiere usted casarse conmigo?" Compostura, estropicio, teléfono descompuesto, 02, 04, mala manera de descolgarse por la vida, como una araña que se va hasta el fondo del abismo colgada del hilo del teléfono. Y otra vez a darle a esa negra carátula de reloj donde marcamos puras horas falsas, puros: "Voy a pedir permiso", puros: "Es que la señora no me deja...", puros: "¿Qué de qué?", porque Esperanza no atina y ya le está dando el cuarto para las doce.

Un día, el ingeniero equivocado llevó a Esperanza al cine, y le dijo en lo oscuro: "Oiga, señorita, ¿le gusta la natación?" Y le puso una mano en el pecho. Tomada por sorpresa, Esperanza respondió: "Pues, mire usted, ingeniero, ultimadamente y viéndolo bien, a mí me gusta mi leche sin nata". Y le quitó la mano.

Durante treinta años, los mejores de su vida, Esperanza ha trabajado de recamarera. Sólo un domingo por semana puede asomarse a la vida de la calle, a ver a aquella gente que tiene *su* casa y *su* ir y venir.

Ahora ya de grande y como le dicen tanto que es de la familia, se ha endurecido. Con su abrigo de piel de nutria heredado de la señora y su collar de perlas auténticas, regalo del señor, Esperanza mangonea a las demás y se ha instituido en la única detentadora de la bocina. Sin embargo, su voz ya no suena como campana en el bosque y en su último *equivocado* pareció encogerse, sentirse a punto de desaparecer, infinitamente pequeña, malquerida, y, respondió, modulando dulcemente las palabras: "No, señor, no, yo no soy Isabel Sánchez, y por favor, se me va a ir usted mucho a la chingada".

Creo que lo amé desde que lo vi.

Allí estaban los otros mirando mis piernas, mis pechos; invitándome a bailar, a tomar una copa; con sus risas calientes, sus miradas oblicuas y su cuatachonería, dándose recias palmadas en los hombros, en la espalda, en los riñones, en la cacha de la pistola, picándose la barriga, las costillas, en esa cachondez sospechosa de la parranda. Me sopesaban. Eran como tenderos que colocan sobre el mostrador un kilo de lentejas y otro de azúcar. Mis dos pechos.

Él me miró a los ojos y yo hubiera querido acariciar los suyos en agradecimiento. Ni siquiera se acercó y sentí que debía irme. Afuera me tomó de la mano para caminar tantas, oh, tantas calles. Llegamos hasta la tierra, cayeron las primeras gotas y la tierra se hizo potente, más negra, húmeda, como que se llenaba de ganas. La buena siembra se hace en la tierra suelta, bien penetrada por el agua. Dormimos bajo la bóveda de nubes. Cuando quise arropar las semillas, él dijo que se darían fuertes al aire, al viento, que sólo así arraigarían. Su mano era una raíz y la mía una semilla. Yo ignoraba que las raíces asfixian a las semillas y seguí caminando, confiada. Anduvimos varios años, oh, tantos años. Él me decía que la tierra sólo es buena cuando está abierta; entonces creí adivinar tras de sus gestos el cuchillo del hombre.

Deseé habitar casas como placentas, cuevas que se amoldaran tibias a mis deseos, pero me tocó un mundo de empistolados, de hombres que llevan su pistola al cincho golpeándoles la cadera y otra pistola, más fea aún, boca abajo entre las piernas. Hombres cuyos pantalones caen mal sobre sus nalgas, lastrados por esas pistolonas. Escogí al único que no portaba arma, pero se me impuso con otra. Fue llenándome la boca de palabras, las horas de palabras, los días de palabras, la vida de palabras, palomas que revoloteaban como palabras golpeándose en contra de mi pecho, mi vientre, mis piernas jóvenes, duras al sol, que caminaban bien, lo seguían a él: chivitas buenas, brinque y brinque, hábiles en senderos escarpados, felices, ¡son bonitas las piernas felices!, livianas tras de sus palabras que ondeaban en el aire en círculos concéntricos, para luego detenerse ensimismadas, vueltas sobre sí mismas y lanzarse de nuevo agrandadas, sonar entreveradas en las ramas de los árboles, mecidas por las hojas, diciendo musgo, pastito, roca, hortensia, olivos, acacias, robles, calandrias, ardilla, montaña, muro, valle, castaño, amor, jazmines, hormiga, alondra, abedul, manzano, viento, hasta que un día amaneció y me miró con ojos fríos, sin brillo, para concluir fastidiado: "No tengo ya nada que decirte".

Vi cómo guardaba celosamente sus palabras, las volvía a meter en la cuenca de sus ojos. Supe que las sacaría brillosas, más tarde, ante otro carrizo igual a mí. Porque yo fui la varita hueca, el canutito por el cual fue devanando una a una todas sus palabras, silbándolas entre mis paredes. Encontraría otra flauta. todos la encuentran. A lo largo de nuestra jornada, dentro del agua andariega, habíamos contemplado juntos cómo se daban altos, verdes y maduros, cientos de carrizos.

6. ESTADO DE SITIO

Camino por las grandes avenidas, las anchas superficies negras, las banquetas en las que caben todos y nadie me ve: nadie voltea, nadie me mira, ni uno solo de ellos. Ninguno da la menor señal de reconocimiento. Insisto. Ámenme. Ayúdenme. Sí, todos. Ustedes. Los veo. Trato de imantarlos; nada los retiene, su mirada resbala encima de mí, me borra, soy invisible. Sus ojos evitan detenerse en algo, en cualquier cosa, y yo los miro a todos tan intensamente, los estampo en mi alma, en mi frente; sus rostros me horadan, me acompañan; los imagino, los recreo, los acaricio. Nosotras las mujeres atesoramos los rostros; de hecho. en un momento dado, la vida se convierte en un solo rostro al que podemos tocar con los labios. Ámenme, véanme, aquí estoy. Alerto todas las fuerzas de la vida; quiero traspasar los vidrios de la ventanilla, decir: "Señor, señora, soy yo", pero nadie, nadie vuelve la cabeza, soy tan lisa como esta pared de enfrente. Debería gritarles: "Su sociedad sin mí sería incompleta, nadie camina como yo, nadie tiene mi risa, mi manera de fruncir la nariz al sonreír, jamás verán a una mujer acodarse en la mesa como lo hago, nadie esconde su rostro dentro de su hombro... señores, señoras, niños, perros, gatos, pobladores del mundo entero, créanme, es la verdad, les hago falta".

Me gustaría pensar que me oyen, pero sé que no es cierto. Nadie me espera. Sin embargo, todos los días, tercamente, emprendo el camino, salgo a las anchas avenidas, a ese gran desierto íntimo tan parecido al que tengo adentro. Necesito tocarlo, ver con los ojos lo que he perdido, necesito mirar esta negra extensión de chapopote, necesito ver mi muerte.

Cine Prado

Señorita:

A partir de hoy, debe usted borrar mi nombre de la lista de sus admiradores. Tal vez convendría ocultarle esta deserción, pero callándome, iría en contra de una integridad personal que jamás ha eludido las exigencias de la verdad. Al apartarme de usted, sigo un profundo viraje de mi espíritu, que se resuelve en el propósito final de no volver a contarme entre los espectadores de una película suya.

Esta tarde, más bien, esta noche, usted me destruyó. Ignoro si le importa saberlo, pero soy un hombre hecho pedazos. ¿Se da usted cuenta? Soy un aficionado que persiguió su imagen en la pantalla de todos los cines de estreno y de barrio, un crítico enamorado que justificó sus peores actuaciones morales y que ahora jura de rodillas separarse para siempre de usted aunque el simple anuncio de *Fruto prohibido* haga vacilar su decisión. Lo ve usted, sigo siendo un hombre que depende de una sombra engañosa.

Sentado en una cómoda butaca, fui uno de tantos, un ser perdido en la anónima oscuridad, que de pronto se sintió atrapado en una tristeza individual, amarga y sin salida. Entonces fui realmente yo, el solitario que sufre y que le escribe. Porque ninguna mano fraterna se ha extendido para estrechar la mía. Cuando usted destrozaba tranquilamente mi corazón en la pantalla, todos se sentían inflamados y fieles. Hasta hubo un canalla que rió descaradamente, mientras yo la veía desfallecer en brazos de ese galán abominable que la condujo a usted al último extremo de la degradación humana.

Y un hombre que pierde de golpe todos sus ideales, ¿no cuenta para nada, señorita?

Dirá usted que soy un soñador, un excéntrico, uno de esos aerolitos que caen sobre la tierra al margen de todo cálculo. Pres-

cinda usted de cualquiera de sus hipótesis, el que la está juzgando
soy yo, y hágame el favor de ser más responsable de sus actos,
y antes de firmar un contrato o de aceptar un compañero este-
lar, piense que un hombre como yo puede contarse entre el público futuro y recibir un golpe mortal. No hablo movido por los
celos, pero, créame usted: en *Esclavas del deseo* fue besada, aca-
riciada y agredida con exceso. No sé si mi memoria exagera, pero
en la escena del cabaret no tenía usted por qué entreabrir de
esa manera sus labios, desatar sus cabellos sobre los hombros y
tolerar los procaces ademanes de aquel marinero, que sale bos-
tezando, después de sumergirla en el lecho del desdoro y aban-
donarla como una embarcación que hace agua.

Yo sé que los actores se deben a su público, que pierden en
cierto modo su libre albedrío y que se hallan a la merced de los
caprichos de un director perverso; sé también que están obliga-
dos a seguir punto por punto todas las deficiencias y las falacias
del texto que deben interpretar, pero déjeme decirle que a todo
el mundo le queda, en el peor de los casos, un mínimo de iniciativa, una brizna de libertad que usted no pudo o no quiso
aprovechar.

Si se tomara la molestia, usted podría alegar en su defensa
que desde su primera irrupción en el celuloide aparecieron algunos de los rasgos de conducta que ahora le reprocho. Es verdad;
y admito avergonzado que ningún derecho ampara mis querellas.
Yo acepté amarla tal como es. Perdón, tal como creía que era.
Como todos los desengañados, maldigo el día en que uní mi vida
a su destino cinematográfico. Y conste que la acepté toda opaca
y principiante, cuando nadie la conocía y le dieron aquel papelito de trotacalles con las medias chuecas y los tacones carcomi-
dos, papel que ninguna mujer decente habría sido capaz de aceptar. Y sin embargo, yo la perdoné, y en aquella sala indiferente
y llena de mugre saludé la aparición de una estrella. Yo fui su
descubridor, el único que supo asomarse a su alma, entonces in-
maculada, pese a su bolsa arruinada y a sus vueltas de carnero.
Por lo que más quiera en la vida, perdóneme este brusco arrebato.

Se le cayó la máscara, señorita. Me he dado cuenta de la vileza de su engaño. Usted no es la criatura de delicias, la paloma
frágil y tierna a la que yo estaba acostumbrado, la golondrina
de inocentes revuelos, el rostro perdido entre gorgueras de encaje que yo soñé, sino una mala mujer hecha y derecha, un des-
pojo de la humanidad, novelera en el peor sentido de la palabra.
De ahora en adelante, muy estimada señorita, usted irá por su

camino y yo por el mío. Ande, ande usted, siga trotando por las calles, que yo ya me caí como una rata en una alcantarilla. Y conste que lo de señorita se lo digo porque a pesar de los golpes que me ha dado la vida sigo siendo un caballero. Mi viejita santa me inculcó en lo más hondo el guardar siempre las apariencias. Las imágenes se detienen y mi vida también. Así es que... señorita. Tómelo usted, si quiere, como una desesperada ironía.

Yo la había visto prodigar besos y recibir caricias en cientos de películas, pero antes, usted no alojaba a su dichoso compañero en el espíritu. Besaba usted sencillamente como todas las buenas actrices: como se besa a un muñeco de cartón. Porque, sépalo usted de una vez por todas, la única sensualidad que vale la pena es la que se nos da envuelta en alma, porque el alma envuelve entonces nuestro cuerpo, como la piel de la uva comprime la pulpa, la corteza guarda al zumo. Antes, sus escenas de amor no me alteraban, porque siempre había en usted un rasgo de dignidad profanada, porque percibía siempre un íntimo rechazo, una falla en el último momento que rescataba mi angustia y consolaba mi lamento. Pero en *La rabia en el cuerpo* con los ojos húmedos de amor, usted volvió hacia mí su rostro verdadero, ese que no quiero ver nunca más. Confiéselo de una vez: usted está realmente enamorada de ese malvado, de ese comiquillo de segunda, ¿no es cierto? ¿Se atrevería a negarlo impunemente? Por lo menos todas las palabras, todas las promesas que le hizo, eran auténticas, y cada uno de sus gestos, estaban respaldados en la firme decisión de un espíritu entregado. ¿Por qué ha jugado conmigo como juegan todas? ¿Por qué me ha engañado usted como engañan todas las mujeres, a base de máscaras sucesivas y distintas? ¿Por qué no me enseñó desde el principio, de una vez, el rostro desatado que ahora me atormenta?

Mi drama es casi metafísico y no le encuentro posible desenlace. Estoy solo en la noche de mi desvarío. Bueno, debo confesar que mi esposa todo lo comprende y que a veces comparte mi consternación. Estábamos gozando aún de los deliquios y la dulzura propia de los recién casados cuando acudimos inermes a su primera película. ¿Todavía la guarda usted en su memoria? Aquella del buzo atlético y estúpido que se fue al fondo del mar, por culpa suya, con todo y escafandra. Yo salí del cine completamente trastornado, y habría sido una vana pretensión el ocultárselo a mi mujer. Ella, por lo demás, estuvo completamente de mi parte; y hubo de admitir que sus deshabillés son realmente espléndidos. No tuvo inconveniente en acompañarme al cine otras seis veces, creyendo de buena fe que la rutina rompería el encanto. Pero ¡ay! las cosas fueron empeorando a medida que se estrenaban sus películas. Nuestro presupuesto hogareño tuvo que sufrir importantes modificaciones, a fin de permitirnos frecuentar las pantallas unas tres veces por semana. Está por demás decir que después de cada sesión cinematográfica pasábamos el resto de la noche discutiendo. Sin embargo, mi compañera no se inmutaba. Al fin y al cabo, usted no era más que una sombra indefensa, una silueta de dos dimensiones, sujeta a las deficiencias de la luz. Y mi mujer aceptó buenamente tener como rival a un fantasma cuyas apariciones podían controlarse a voluntad, pero no desaprovechaba la oportunidad de reírse a costa de usted y de mí. Recuerdo su regocijo aquella noche fatal en que, debido a un desajuste fotoeléctrico, usted habló durante diez minutos con voz inhumana, de robot casi, que iba del falsete al bajo profundo... A propósito de su voz, sepa usted que me puse a estudiar el francés porque no podía conformarme con el resumen de los títulos en español, aberrantes e incoloros. Aprendí a descifrar el sonido melodioso de su voz, y con ello vino el flagelo de entender a fuerza mía algunas frases vulgares, la comprensión de ciertas palabras atroces que puestas en sus labios o aplicadas a usted me resultaron intolerables. Deploré aquellos tiempos en que llegaban a mí, atenuados por pudibundas traducciones; ahora, las recibo como bofetadas.

Lo más grave del caso es que mi mujer está dando inquietantes muestras de mal humor. Las alusiones a usted, y a su conducta en la pantalla, son cada vez más frecuentes y feroces. Últimamente ha concentrado sus ataques en la ropa interior y dice que estoy hablándole en balde a una mujer sin fondo. Y hablando sinceramente, aquí entre nosotros, ¿a qué viene toda esa profusión de infames transparencias, ese derroche de íntimas prendas de tenebroso acetato? Si yo lo único que quiero hallar en usted es esa chispita triste y amarga que ayer había en sus ojos... Pero volvamos a mi mujer. Hace visajes y la imita. Me arremeda a mí también. Repite burlona algunas de mis quejas más lastimeras. "Los besos que me duelen en *Qué me duras*, me están ardiendo como quemaduras." Dondequiera que estemos se complace en recordarla, dice que debemos afrontar este problema desde un ángulo puramente racional, con todos los adelantos de la ciencia y echa mano de argumentos absurdos pero contundentes. Alega, nada menos, que usted es irreal y que ella es una mujer concreta. Y a fuerza de demostrármelo está acabando una por una con mis ilusiones. No sé qué va a ser de mí si resulta cierto lo que aquí se rumora, que usted va a venir a filmar una película y honrará a nuestro país con su visita. Por amor de Dios, por lo más sagrado, quédese en su patria, señorita.

Sí, no quiero volver a verla, porque cada vez que la música cede poco a poco y los hechos se van borrando en la pantalla, yo soy un hombre anonadado. Me refiero a la barrera mortal de esas tres letras crueles que ponen fin a la modesta felicidad de mis noches de amor, a dos pesos la luneta. He ido desechando poco a poco el deseo de quedarme a vivir con usted en la película y ya no muero de pena cuando tengo que salir del cine remolcado por mi mujer que tiene la mala costumbre de ponerse de pie al primer síntoma de que el último rollo se está acabando.

Señorita, la dejo. No le pido siquiera un autógrafo, porque si llegara a enviármelo yo sería capaz de olvidar su traición imperdonable. Reciba esta carta como el homenaje final de un espíritu arruinado y perdóneme por haberla incluido entre mis sueños. Sí, he soñado con usted más de una noche, y nada tengo que envidiar a esos galanes de ocasión que cobran un sueldo por estrecharla en sus brazos y que la seducen con palabras prestadas.

Créame sinceramente su servidor.

PD.

Olvidaba decirle que escribo tras las rejas de la cárcel. Esta carta no habría llegado nunca a sus manos si yo no tuviera el temor de que el mundo le diera noticias erróneas acerca de mí. Porque los periódicos, que siempre falsean los hechos, están abusando aquí de este suceso ridículo: "Ayer por la noche, un desconocido, tal vez en estado de ebriedad o perturbado de sus facultades mentales, interrumpió la proyección de *Esclavas del deseo* en su punto más emocionante, cuando desgarró la pantalla del cine Prado al clavar un cuchillo en el pecho de Françoise Arnoul. A pesar de la oscuridad, tres espectadoras vieron cómo el maniático corría hacia la actriz con el cuchillo en alto y se pusieron de pie para examinarlo de cerca y poder reconocerlo a la hora de la consignación. Fue fácil porque el individuo se desplomó una vez consumado el acto".

Sé que es imposible, pero daría lo que no tengo con tal de que usted conservara para siempre en su pecho, el recuerdo de esa certera puñalada.

El limbo

—¡Niña!

La voz se hizo apremiante.

—¡Niña, niña, niña!

Mónica reblandecida por el sueño, se irguió poco a poco en la cama.

—¡Ay, niña! ¡Aaaaaaaaaaaaaaaaay!

La joven abrió bien los ojos. Frente a ella, Hilaria comenzó a tronarse los dedos.

—¡Ay, niña, venga usted, apúrese usted, venga pero ahorita! Vamos al cuarto de la canija de Rosa. Que no la oiga su abuelita.

Hilaria le tendió la bata, acercó las pantuflas, bajaron por la escalera de servicio, los perros ladraron. ¿Serían las seis, las siete de la mañana? Con ademán friolento, Mónica cruzó aún más la bata sobre su pecho. Al llegar al último peldaño, Hilaria detuvo a la joven, tomándola del brazo.

—Niña, anoche se enfermó la mustia de Rosa y se alivió.

—Por fin, ¿se enfermó o se alivió?

—Se alivió de su niño, la muy mustia.

—¿De qué?

—De su criatura.

Mónica despertó de golpe o el sueño se le quedó congelado. Entraron al cuarto de la sirvienta. Rosa, vestida, yacía sobre el colchón, el rostro pálido, la respiración entrecortada; en la cama, ni una sábana, ni un sarape, nada. El puro colchón.

—Rosa.

Rosa no contestó. Al poner su mano sobre el hombro de la muchacha, Mónica pensó que ésta respondería, pero continuó inmóvil. Lo único que se agitó fue el tablero de las campanillas enorme que colgaba de la pared. "Este timbrazo es insultante", se molestó Mónica, "despertaría a un internado de proporciones

31

gigantescas". El rrrrrrrrrrrín, rrrrrrrriiiiiiiiiiiiiiiiín no cesaba.

—Dios mío, la señora, y ahora, ¿qué hacemos? Ya despertó la señora, tengo que subirle el desayuno.

Mónica siguió a Hilaria fuera del cuarto.

—Oye, Hilaria, estás loca, ¿dónde está el niño? ¿Lo soñaste?

Hablaba en un tono superior, enojado; después de todo, aunque Hilaria tenía treinta años en la casa, no era más que una sirvienta, no era nadie o casi nadie, por eso encajaba sus uñas en el brazo, para que la sintieran antes de no ser nada, la pura nada, un envoltorio, un costal de piel y huesos que echarían a la fosa común.

—No, niña, no, allí tiene que estar, nomás que esta mujer ya hizo la limpieza. ¿Qué no se fijó en la mancha café todita restregada? Parió y se puso a restregar el piso, a remover la moronga para que no se notara.

—Voy a avisarle a mi abuelita.

—Ay, niña; no, ay, qué apuración, no se le vaya a derramar la bilis a la señora grande, hoy le toca su huevo. ¿Cómo le irá a caer el desayuno si se entera?

Mónica no dejó de darse cuenta de su propia importancia. Hilaria le había avisado sólo a ella y no a la señora grande. Apenas ahora estaba sucediendo algo emocionante, algo como se lee en las novelas, las de Carolyn Keene, los *thrillers* para jovencitas, que en la noche devoraba. A lo mejor no tendría que ir a la escuela. Regresó al cuarto de servicio.

—Rosa.

Olía mal. "Es el olor del pueblo", la cama desnuda con ese cuerpo tirado en el colchón rayado daba una sensación de abandono, de estómago vacío, de chiquero. Con razón decían los de buena familia: "Estas gentes no tienen remedio; todo lo estropean, son unos salvajes". Allí estaba la mancha descrita por Hilaria, pero... ¿El niño? Hilaria siempre les levantó falsos a las nuevas sirvientas y ya la casa tenía fama en la cuadra de que ni las galopinas, ni las mandaderitas duraban por culpa de sus celos.

—¿Rosita?

Se acercó. Curiosa, puso su cara junto a la de Rosa. La mujer se estremeció. Mónica le repitió en voz baja: "Rosita" y luego le sopló en la mejilla: "¿Es cierto eso, eso que dice Hilaria, de que tuviste un niño?"

Rosa, desplazando toda una serie de malos olores, se volvió hacia la pared para darle la espalda a la joven. Después de un momento, con mucha dificultad, a empujones, susurró:

—Sí.

Mónica se quedó fría. Rosa se había rendido, agotada.

—¿Dónde está?

—Se me murió.

—Y ¿dónde está?

—En el ropero.

¿Cómo te quedó la cara, rota, catrina, hija de gente decente? A ver, trágate esa, pollita de leche, a ver, reacciona bestiecilla de salón. Mónica gritó. De miedo. De horror. Los perros volvieron a ladrar, pero la otra en la cama, no se movía. Mónica fue hacia el armario y con la inconciencia de sus años niños lo abrió. Las sábanas ensangrentadas se amontonaban. Pero nada más.

—Y ¿el niño?

No tuvo respuesta. Seguramente Rosa sentía que ahora le tocaba a la otra, a la ternera cebada, a la cochinita pibil, a la niña bien, a la chica novicia. Esta siguió buscando. Allí, en un rincón, envuelto en periódicos estaba un bultito rojo, blando, una materia floja. Mónica lo cogió como si fuera a desmoronársele entre los brazos. Rosa la miraba hacer con ojos apacibles. Puso el paquete en la cama, cerca de los pies cuadrados, chatos, groseros de Rosa. Levantó un poco el papel. Había una cabecita con el pelo muy negro pegado al cráneo.

—Tómalo, Rosa, cógelo.

Como siempre, la abuela estaba recargada en sus cinco cojines de funda de encaje. No pareció indignarle el relato de Mónica, sólo ordenó:

—Háblenle al doctor.

—Hay que dar parte —insistió Hilaria con aires de experta, la delegación, el certificado.

Todo sucedió dentro de un remolino febril como en las novelas de misterio. Llegó el médico de la familia; llevaba en la boca un cigarro apagado que escupió a poca distancia de Rosa. Sus ojos beige miraban hostilmente a la criada, sus ojeras rosadas, casi fosilizadas acentuaban el desprecio en su rostro. Exploró el contenido del envoltorio para exclamar con frialdad:

—¡Este niño vive!

Un borbotón de lágrimas se anudó en la garganta de Mónica y el apretado nudo se deshizo en sus ojos. ¡Esto era un milagro, un regalo del cielo! El niño, todavía en los periódicos, respiraba; de su boca abierta salía un pequeñísimo aliento, apenas un soplo. El doctor se puso a limpiarlo. En las aletas de la nariz brillaba un poco de sangre coagulada.

—Hay que ponerle una inyección para evitar una futura hemorragia. ¿Qué le pasó a su hijo?

Rosa gruñó como si estuviera mascando las palabras, pero en su voz había algo de sollozo.

—Se me cayó de cabeza.

—Pero ¿cómo lo tuvo?

—Me acuclillé aquí a un ladito.

Hilaria preguntó, como profesionalmente:

—¿No lo va usted a curar de su ombliguito?

El doctor no se dignó contestar y sólo procedió con manos rápidas. Luego, haciendo caso omiso de los presentes, inquirió por la señora de la casa.

"La mayoría de estas mujeres, mi admirada señora, no quieren al hijo. Les resulta... cómo diré... un estorbo oneroso. Lo sufren como un castigo y luego... no necesito decirle. ¡Ignorantes, supersticiosas, pobrísimas, no saben qué hacer con él!"

Con razón, pensó Mónica, había marcas violáceas en el pescuecito del niño, tan delgado, listo para desprenderse. El médico siguió hablando competente y rutinario. Todo tenía una explicación, y nada, en realidad, era importante.

—Quién sabe si el niño dure. Esa mujer le dio una buena maltratada. Voy a mandar a una enfermera para asear a la madre.

Al levantarse, besó la mano de la señora grande, tomó su maletín de la silla de bejuco y salió con su aire cansado de hombre que escucha las desesperanzas de los demás.

Mónica cogió las sábanas de su cama de muñecas. Era aquello lo que más se parecía a cosas de niño de que pudiera disponer. Las llevó al cuarto de Rosa y envolvió al niño de verdad. Rosa la miraba hacer, atenta como una perra que súbitamente reconoce al cachorro. El niño, tan a la mano, parecía una pobre maraña de tejidos, de venas, de trapitos.

"Dios mío, Dios mío, ayúdame", rezó Mónica. Se sentía torpe, sin recursos. Hubiera querido soplarle en la boca para que su pecho se ensanchara, hacerlo respirar, amacizarlo, recubrirlo con su propia carne. Tener tanta vida por dentro y no poder darla. Jaló la cobija en torno al tambache a que quedara lisita y de pronto se detuvo... Rosa la miraba entre desafiante y lastimera y de sus ojos rodaron gruesas lágrimas. Mónica, entonces, colocó aquel bultito a su lado, en el hueco del brazo materno. La mujer siguió llorando mientras atraía al hijo.

¡Había un niño en la casa, un niño chiquito! Se necesitaban pañales, camisitas, baberos, una almohada diminuta, una cobija con borregos pintados, qué ajetreo. Habría que sostener toda la frágil estructura de su cuerpo con frazadas. Mónica se puso a acomodar la canastilla en el aire; aquí las chambritas, allá el aceite y el algodón, todo limpio y blanco, imposible no conmoverse ante la pequeñez de las prendas: "¡Pero qué tiernito es, qué niño chiquito!" Todo lo salva por su condición de niño, Rosa tendría que quererlo al ver que otros se alegraban de su presencia.

Junto a lo blanco y lo azul danzaban otras imágenes: la sangre, la mancha en el piso que Mónica evitaba mirar, los cuajarones sanguinolentos envueltos en el papel periódico como las entrañas de un pollo, de una totola, de una guajolota, amarillas y verde espinaca, el cordón umbilical y la bolsa de la placenta, el cuerpo de Rosa, sus caderas, sus pechos, un niño que agita en vano una sonaja en el vientre de su madre, el cuerpo de Rosa que había contenido un niño sin que nadie se diera cuenta porque a nadie le importaba; sus paredes ensanchándose, y Rosa callada, callada: "voy a barrer la azotea", "voy a un mandadito", "pos a ver si me dan permiso", "mañana, me toca mi salida", Rosa en el teléfono, Rosa en el corredor, Rosa con una escoba en la mano, Rosa trenzando su pelo negro en el lavadero. Rosa desfajando en la noche el vientre que se abulta. Rosa acuclillada para dar paso a ese amasijo de carne: su hijo, ahora sí que el de sus entrañas porque al salir la había vaciado; allí estaba la carne en pedazos como la que el carnicero cortaba con tanto placer para los perros, "démela maciza" estipulaba Hilaria "y envuélvamela bien para que no escurra" y el carnicero la amontonaba en varias hojas de periódico, apretándola en un tubo, así como Mónica había alisado la cobija en torno al cuerpo del niño.

—Señorita, ¿ya vio usted al inocentito?
—Sí. Está bien ¿no?
—¡Ay, niña! Rosa es la que está sosiega... la muy ladina... pero el niño, ¿lo destapó usted?
—No —contestó Mónica con asombro.
—Pues venga usted a verlo, porque yo lo deviso grave.
En el cuarto de paredes vacías, salvo unos calendarios de Aspirina Bayer, la cama y el ropero de la Lagunilla que un mecapalero trajo a cuestas, la frente partida en dos por el mecate, Rosa luchaba contra el sopor. No pareció importarle que Mónica se inclinara de nuevo sobre el niño. Al bajar la cobija lo vio mo-

rado, los labios azules. ¿El milagro, dónde estaba el milagro? Su almita de educanda de monjas del Sagrado Corazón tuvo un brusco arrebato. ¿No que Dios había perdonado y se había decidido por el milagro?

—Hilaria, haz algo, Hilaria ya se murió.

Mónica sintió que se paralizaba. ¿Sería por el pecado mortal que había cometido Rosa? ¿Así de duro era Dios, así el juicio divino? "Jesús, Jesús intercede frente a tu padre que no deje caer su mano de tres dedos, que no se vengue en esa forma."

—Hilaria ¿qué hacemos?

—Cálmese, señorita. No está muerto. Nada más se ha puesto algo malito; está como tuturusco, chin, pinche Rosa, tenía que pasar orita que es hora de su comida de la señora y Rosa allí tiradota, sería bueno, ultimadamente que el doctor...

El hospital, eso era... El médico de cabecera ya no podría hacer nada porque no le importaba, pero en una institución especializada en que los doctores fueran más jóvenes, menos desencantados sí, lo volverían a la vida, llorarían con ella, vencerían con ella...

—Vamos Hilaria. Envuelve al niño. Voy a sacar el coche, ándale.

Bajo el letrero "Urgencias", la lentitud de la atmósfera contrastaba con la premura de la gente que entraba corriendo para detenerse frente al mostrador, recobrar su compostura y su respiración. Dos enfermeras pedían nombres, consultaban pausadamente ficheros, Mónica galopó, con toda su juventud entre las piernas.

—Señorita, por favor, una emergencia.

—Tome usted asiento —dijo la recepcionista enseñándole sus encías moradas.

—Es que, señorita...

—Todos los que están aquí son casos urgentes.

—Venga usted, niña, vamos a sentarnos —dijo Hilaria tímidamente.

Mónica le hubiera pegado. Era monstruoso sentarse, el niño se estaba muriendo. Plantada frente al mostrador, decidió echar raíces. La enfermera señaló molesta:

—Está usted estorbando el paso.

Hilaria se hizo a un lado, demasiado acostumbrada a obedecer. "Se ha solidarizado con la encía morada —pensó Mónica—, ya no está conmigo ni le importa la vida del niño, lo que quiere es quedar bien; toda la vida no ha tenido sino patrones."

—Dame al niño, Hilaria —ordenó Mónica. Aún más estorbosa con el envoltorio entre los brazos, la joven no dejaba de mirar hacia la puerta blanca que aventaba hacia adelante y hacia atrás, en perpetua resaca, al letrero "Silencio". Se avalanzó sobre el primer doctor de pijama blanca a la vista.

—Doctor por favor, traigo un niño que se está muriendo.

El doctor, tomado por sorpresa, miró a la catrincita a punto de llorar. "No vamos a permitir que lloren unos ojos tan azules", dijo señalándole la anhelada puerta. Por un momento, las mujeres en la sala de espera parecieron salir de su letargo pero muy pronto volvieron a la postura impasible y desganada que las asentaba en las butacas. Allá ellas. Algún día, Mónica las sacudiría, las tomaría de los hombros, chúpense ésa, sí, ella, sí, sí, ella la jovencita primeriza, la del baño diario y las tres hileras de perlas, ella picaría con sus espuelitas de oro a esa manada de vacas y se aventarían en tropel contra Palacio Nacional; ella sí, secundada, por supuesto, por ese doctor tan fino (que también debía ser de buena familia) que acababa de franquearle la puerta pisoteando los derechos de las demás, que se lo tenían bien merecido por dejadas, por rumiantes, por echadas cual flan de sémola, aplastadas sobre el asiento.

Dirigiendo a su ejército femenino, Mónica depositó al niño en la mesa indicada. Las superficies eran lisas muy bien cepilladas e Hilaria exclamó: "Qué buena tablita para picar mi cebolla". La nueva enfermera le preguntó a Hilaria si era la madre y sonrojada se alejó en menos que canta un gallo para evitar toda posible confusión: "Ay, qué pena, qué pena que vayan a creer que yo"... Veía con desconfianza, casi con asco a las madres de otros niños que esperaban, la mente en blanco, de pie junto a las mesas. El doctor desnudó al niño en un momento y éste emitió un ruidito de la tráquea.

—¿Cuándo nació?

Hilaria se hizo la desentendida, así es que Mónica contestó:

—Esta mañana, a lo mejor anoche.

—¿Qué le pasó?

—La madre dice que se le cayó.

El médico ordenó a la enfermera:

—Que venga el doctor Vértiz.

Los dos se inclinaron sobre la mesa. Uno de ellos, despechugado, enseñaba un negrear de vello crespo. Cambiaron unas cuantas frases y llamaron a Hilaria: "El niño tiene que pasar a la incubadora, le vamos a poner suero, hay que fortalecerlo. Puede usted venirlo a ver todos los días de tres a cuatro".

—¿Estará fuera de peligro? —preguntó ansiosa Mónica.
—Sí, señorita.
—Muchas gracias, doctor.
—Esperen un momento a que la encargada tome los datos.
—Pero si ya los dimos afuera.
—Éstos son para el registro de la Cuna.
—¿Son muchos los requisitos?
—Así es —sentenció el doctor.
Mónica no podía dejar de mirar a su alrededor. Sobre otras mesas de auscultación yacían otros niños, la mayoría más grandes que el de Rosa, pero todos con los brazos y las piernas como hilitos, el cuello de pollo desplumado unido a una gruesa cabeza que se bamboleaba. Montoncitos de miseria rosa, montoncitos de miseria apiñonada, montoncitos de tristeza. Los médicos tomaban al paciente por las dos piernas para sostenerlo en alto como rata por la cola; algunos gritaban, gatos que van a ahogar en el agua ratas envenenadas, pero la mayoría no daba ni señal de vida. En muchos, el sexo era un higuito negro, una vejiga, un hongo venenoso. Cerca de varias mesas, Mónica miró a las madres inmutables y secretas. Algunas de ellas estaban gordas, las mejillas fuertes y los cabellos entretejidos de listones solferino, amarillo, verde perico; sus aretes brillantes colgaban de sus orejas, y sus ondas grasientas se sucedían marcadas por un batallón de pasadores.
—Doctor —se aventuró a decir Mónica—, ¿qué tienen estos niños?
—La mayoría están desnutridos.
—Pero si las madres no se ven tan pobres.
—Allí está lo malo, señorita. .
Sintió que una ola de rubor, de rabia, le subía desde adentro; el doctor le había lanzado una mirada penetrante, grave, no exenta de acusación. Quería emparentarla a todas estas idiotas con sus aretes de piedrecitas de colores. Mónica abrió su bolsa.
—Pague usted afuera señorita, en el escritorio de la salida.

—Vamos a verlo en la incubadora —dijo Mónica.
—¿Pa qué?
—Para ver cómo quedó.
—Queda bien —dijo Hilaria, malhumorienta.
—No sabemos.
—Ya es muy tarde, la señora grande. . .
—La señora grande iría a ver al niño a la incubadora —cor-

tó Mónica, tajante.

—No dan permiso.

—Vamos a investigar.

Hilaria parecía decir: "Los ricos pueden darse esos lujos, cerciorarse, certificar; a nosotros no nos queda más que encomendarnos a la divina providencia, y no nos andamos con tantas exigencias".

También allí el piso era de linóleo, y relumbraban los aluminios, los canceles de vidrio de fondo de botella y las paredes blancas agresivamente brillantes; materiales que oscilaban entre el plástico deleznable y el mosaico que puede lavarse con manguera. Una enfermera gorda, tiesa de almidón y con albo bozal, les dijo que les señalaría al niño tras un ventanal de doble vidrio que exhibía una gran cantidad de peceras rectangulares, donde los niños más que pescaditos parecían embarcaciones que hacen agua, barquitos de papel a punto de irse a pique. Casi todos tenían una aguja en el brazo prolongada por un tubo de plástico. La enfermera devolvió a Hilaria la cobija de borregos pintados y una sábana:

—Aquí no le va a hacer falta a su chavalito.

Nadie tomaba en cuenta a Mónica; simplemente no pertenecía a ese mundo.

—¿Se pondrá bien? —preguntó Mónica.

—Sí cómo no, se la vamos a devolver buenito —sonrió jovial la mujer.

Mónica pensó: "Qué buena gorda, todas las gordas son buenas gentes, qué buena es esta gorda por opulenta, por rozagante, me gustaría comer con ella, estoy segura que reiría en salud, ella le va a devolver el ánimo al niño, lo va a robustecer, a regocijar con su sola piel risueña y franca". Al bajar la escalera, en uno de los rellanos, un grupo de mujeres le hacía rueda a una de un viejo abrigo café deslavado, el pelo lacio en la nuca, las ojeras muy marcadas y dentro de ellas los ojos que miraban consternados pero sin llanto, mientras explicaba con voz opaca, mansa: "Dicen que le tocó el turno a una nueva y que se le olvidó enchufar la incubadora"...

—Entonces Mónica indignada, intervino:

—¿Por qué no protestó usted? ¿Por qué no fueron a la dirección? ¿Por qué no protestamos todas? ¿Por qué no vamos a los periódicos?

Se le quedaron viendo, y una de ellas, tan gorda o más entrada en carnes que la enfermera respondió:

—Ay, señorita, cómo se ve que usted no sabe...

Como era gorda, Mónica tomó confianza...

—¿Y qué tiene que ver la protesta con que sepa o no sepa?

—Es que usted no sabe, porque usted no es de aquí...

—En primer lugar, sí soy y aunque no fuera, ¿eso qué tiene que ver? Yo les estoy proponiendo que hagamos algo, levantemos un acta...

La misma gorda dijo con voz fuerte:

—A los jueces, las actas les sirven de papel de excusado —e hizo un ademán procaz, volteada hacia la pared, rechazando de plano a Mónica.

Hilaria se había separado de su patrona, esperaba con un pie en la escalera. De nuevo, como en "Urgencias", aparentaba no escuchar pero la miraba de soslayo. La señorita era joven, no sabía nada de nada, ya encallecería.

—Si nos uniéramos —insistió Mónica—, si no nos dejáramos pisotear, si todos tuviéramos las mismas oportunidades...

Mónica, fuera de sí, habló sin respirar. Hubiera querido llamarlas compañeras o comadres o amigas, abrazarlas, pero las mujeres se cerraban sobre sí mismas; se habían apretujado en un extremo del rellano y la gorda se encargó de cortar a la novicia.

—Mira, güerita, ¿eres protestante?

—No, yo no soy, pero...

—Nosotras somos católicas, así es de que pícale, vete a tu casa.

Mónica se hubiera sentado en el último peldaño para llorar hasta vaciar su cabeza, pero más que las católicas era la mirada del doctor de pelo en pecho la que la perseguía. Adivinaba su expresión irónica que de encontrarla, lo haría exclamar: "¡Qué desahogo más personal!" y recordaba la voz grosera: "Pícale, lárgate a tu casa". ¿Era *lárgate* lo que le había dicho la gorda?

Hilaria trotó tras de Mónica, antes de entrar al coche, escupió en la cuneta, un salivazo largo, cargado. Mónica jamás la había visto hacer eso. Era como si le estuviera escupiendo encima. Absolutamente ajena a la impresión causada, Hilaria siguió hablando, de cómo en la media noche oyó que alguien la nombraba quedito pero que no se dio cuenta, sino hasta después, de que era Rosa. ¿Cómo no se había dado cuenta? ¿quién más podría ser? ¿trabajaba otra criada en la casa? Hilaria tenía esa maldita costumbrita: "Hilaria, no limpiaste el baño". "¿Cuál?" como si hubiera siete baños. "Cierra la puerta." "¿Cuál?" ¿Quién? ¿Cuál? ¿Dónde? ¿Cómo? tras de cada orden para obligarla a re-

petir. Que a ella, a Hilaria, se le había revuelto el estómago, ya
ve la señorita qué delicada era de su estómago, se le había revuelto, chin, y eso que no se había desayunado. Rosa abiertota,
allí, toda cubierta de sudor como gargajo, toda empuercada, ba-
tida en su propia sangre y que la muy rejega no le decía del
niño y no le decía y dale a preguntas y nada, no le quería decir.
Rejega, reteque rejega y no na más para eso, pa todo, ladina,
taimada, mañosa, chiquiona, remolona como ella sola porque,
por fin, había murmurado: "Es que el burro me tumbó re juerte,
me vino pero macizo". "Pos váyase al baño", le ordenó: "No, pos
si acabo de ir". "Tonces está enferma, si acaba de ir." "Pérese,
al rato vuelvo a ir, nomás que agarre juerzas", en fin de cuentas
a ella, a Hilaria, se le afiguraba que Rosa quería botar al niño
por ahí envuelto en los periódicos, había unas que hasta los
echaban al excusado y luego jalaban la cadena... Porque si lo
quisiera, le hubiera preparado por lo menos dos, mudita, no
que ésta pecó de noche y al que pasó a fregar fue al hijo...
Hilaria seguía dándole, los labios tiesos y duros y repetía con
envidia: "Es que ninguno de nosotros le maliciamos nada. Como
se fajaba bien y al niño lo traía en la boca del estómago...
pero ahora que me acuerdo, si nos hubiéramos fijado de más
cerquitas..."

Por fin llegaron a la casa, Hilaria se fue a inspeccionar a Rosa,
Mónica subió escalón por escalón, pisando hasta lo hondo de
la gruesa alfombra; abrió la puerta de la recámara de su abuelita. Acostada en su cama, recibía todas las noches a sus hijas, a
sus nietas, a su yerno. Se acomodaban a su alrededor en pequeños
sillones, frente a las cortinas de organdí y decían cosas bonitas,
blancas y leves, acerca de los sucesos del día para despedirlos
entre los ramos de flores, el olor de los pétalos de rosa que la
abuela ponía a secar y la colcha blanquísima tejida por manos
calladas y diligentes. Hoy el tema era de Rosa y el futuro del
niño; ofrecían adoptarlo, mañana bien podría antojárseles engu-
llirlo a la brocha con una manzanita en la boca o preparado en
bitoques à la russe, a la manera de Hilaria, con crema agria y
morillas. Había en ellos algo bárbaro e imprevisible que destan-
teaba; se enorgullecían de que los consideraran excéntricos y
opinaban de los demás: "Son burgueses" o "Qué costumbres más
burguesas". "Nous ne sommes pas comme tout le monde", afir-
maban y, en efecto, caminaron siempre, al borde del precipicio.
"Es nuestra sangre rusa." Cada semana, la abuelita sentaba a su
mesa a fraulein von Schaluss, que en los últimos años se popea-

ba en los calzones. "Es como mis perros", la disculpaba. O a Guillermina Lozano, quien tocaba el arpa maravillosamente y llegaba envuelta en el hedor de los treinta y cinco perros, cuarenta gatos, y cincuenta palomas que albergaba en su casa. Tenía un largo collar de perlas que le caía en la sopa todo cubierto de cagarrutas de paloma. Con fraulein, la abuelita hablaba de Goethe; con Guillermina Lozano, de Wagner. Pero el tema profundo, la melodía central, era de los *sweet doggies,* los *poor little dogs* que las tres recogían de la calle.

—¿Cómo estás, rebanadita de pan con mantequilla?

—Bien, abuelita.

—Pareces más bien una ranita verde.

Mónica relató lo que había visto y la abuelita sólo comentó:

—Las mujeres deberían tener perros. Son más simpáticos.

Los perros Chocolate, Lobo, Dickie, Violeta, Kikí y Canela, que se vivían pendientes de las palabras de su ama, movieron la cola aprobando.

—¿Cómo era yo, mamä, cuando nací? —inquirió Mónica con verdadera ansia. Quería que su madre le asegurara que ella no era como aquellas ratitas rojas que había visto en el hospital.

—No sé, yo estaba ausente... Me fui de cacería.

—Dime la verdad. ¿Sufriste?

—Qué gran palabra, Mónica.

Esas cosas nunca se decían, no se acostumbraban sino las cosas tiernas, fáciles, inasibles; así eran ellos, no había por dónde agarrarlos y de repente se morían y uno se quedaba en ayunas, muerto de hambre, hurgando en sus papeles para descubrirlos. Sin embargo, entre tanta aparente distracción, tantas palabras a medias, el té de las cinco, el sombrero de paja, la revista boca abajo sobre el pasto, tanto jugar con el viento y huir de los imbéciles, decían de pronto algo exacto como si un rayo los iluminara. Y por imprevisto, resultaba aún más fulgurante. Como fulgurante era la figura de la abuela cuando salía a la calle y silbaba largamente en la empuñadura de plata de su bastón (que era un silbato), antes de dar la vuelta para espantar a los ladrones, o blandía su paraguas apuntándolo al cielo como Marcel Proust, al mismo tiempo que decía: "¡Zut! ¡zut! ¡zut! ¡zut!", porque lo único que se permitió jamás fue exclamar: "Zut et encore zut et trois fois zut, zut, zut!", para desfogar el coraje que a veces la embargaba.

Mónica se lanzó en una atropellada perorata sobre la condición femenina, el conflicto social, la miseria, hasta que la abuelita la interrumpió:

—Te gusta parecer bolchevique, ¿verdad?

—No, no, es que toda esa gran injusticia...

—Ya, Mónica, no sigas hablando como si fueras un mujik...
Si lo hicieras a la Tolstoi, pasaría, pero eres la más formidable
fabricante de lugares comunes que he oído en mi vida. Cállate
ya, pequeña idiota, pequeña creadora de rutinas.

Todos asintieron, reconciliados. Su madre le recordó:

—¿Qué vestido te vas a poner para el coctel de los Romero
de Terreros?

Creyó estallar en sollozos, allí mismo, frente a todos. ¿Cuál
coctel? De nada los había convencido; al igual que las mujeres
paradas en el rellano del hospital, la corrían: "Y ahora mocosa,
lárgate al coctel".

—¿Qué te pasa, Mónica? No debes ponerte tan nerviosa, ya la
vida te enseñará...

La señora grande salió en su defensa: "Se ve cansada: no
tiene bien arreglado el peinado, no es una cena formal, al contrario, un buffet con bolillos sobre la mesa; hoy se levantó muy
temprano y ha sido grande la emoción: mañana enviaremos unas
flores para excusarla".

Ninguno objetó. El caso en manos de la abuela se considera-
ba zanjado. La familia, conglomerada en torno a ella acataba la
menor de sus decisiones. Mónica hubiera querido meterse en su
cama, acurrucarse junto a ella como lo hacía cuando se sentía
mal, pero ella misma le ordenó:

—Ahora ve a cenar con tus papás, tienes que comer algo.

Y la besó en la frente.

En la mesa, mientras se hablaba de otra cosa (porque en la
mesa se evitaban los temas desagradables), Mónica no pudo tomar su sopa.

—Come, casi hemos terminado.

Su madre la miraba con sus ojos tristes, de mujer que escucha
la noche.

—Mamá, ¿no podría regresar al hospital?

—¿A qué, Mónica?

—A curar a los enfermos, sacudir a las mamás, removerlo
todo, meter allí un tal torrente de vida que los niños no tengan
más remedio que aliviarse...

—¡O salir volando, convertidos en angelitos!... ¡Pobre creti-
na, está histérica! —intervino su hermana menor.

—Mónica, come por favor.

El tono era imperioso. El líquido, ya frío, pasó con trabajo por la garganta de la joven y después de tres o cuatro cucharadas recobró el ritmo de las cenas pasadas. Qué fácil es comer, pensó, qué fácil cuando, a ocho cuadras apenas, hay un moridero de niños. El comedor, con su Boldini iluminado y sus grabados de Swebach, sus lámparas de cristal y sus vitrinas, todos esos objetos dulces y familiares, asentía cómplice, pero con cada cucharada de sopa, se filtraba también otro líquido: el de la impotencia.

—Y ¿qué vestido piensas ponerte para la cena del sábado?

"De veras, ¿cuál? Híjole, cómo soy, híjole, qué pobre diabla", Mónica podía pensar en el vestido del sábado, mentalmente los revisó: el de flores, el blanco, el de Lanvin, el de chiffon italiano, el rojo. El rojo, con ése, en las últimas fiestas la había sacado Javier Carral, que era guapísimo. ¡Y Teco Arozarena! ¡Y Pepe del Río, que todo le festejaba!

—El rojo.

—Tienes razón, ése te queda muy bien.

La madre le sonrió tranquila, al verla distraerse tan pronto de su reciente congoja: "Es joven, qué pronto pasa del llanto a la sonrisa, más rápido aún de lo que yo pensaba". Volvía al engranaje, a la reverencia, esperaría sumisa el arribo del príncipe. Entre tanto, cerraría ventanas con sus manos cuidadas; la acompañaría a tes, visitas, cenas, pésames, habría manteles que bordar a la hora del crepúsculo. Mónica se despidió apaciguada y dio las buenas noches como de costumbre. Pero ya en su cama mordió las sábanas; lloró una hora y otra; una hora suplantaba a la otra y el llanto seguía embistiéndola; un borbotón que la drenaba hasta que la última lágrima hecha sólo de sal se le secó en la mejilla. Lloró porque podía tomar sopa, mientras una señora de abrigo café les comunicaba a otras que la incubadora se había quedado sin corriente eléctrica, lloró porque nunca fabricaría una bomba en el sótano de su casa, ni siquiera una molotov —su pólvora estaba mojada de antemano—, pero sobre todo lloró porque ella era Mónica y no otra, porque la muerte del pequeño de Rosa no era su muerte y no podía vivirla, porque sabía muy bien que el sábado bailaría con el vestido rojo, oh, Bahía ay, ay, rayando a taconazos el corazoncito del niño de Rosa, bailaría encima de las mujeres a quienes los hijos se les caen de entre las piernas como frutas podridas, bailaría, mambo qué rico el mambo, bailaría muñequita linda de cabellos de oro, bailaría la raspa, la vida en rosa, las hojas muertas, porque después de todo, la vida de uno es más fuerte que la de los demás.

Canto quinto

Primero ni vio el cuarto. No sintió más que a Rodrigo que la besaba con todo su peso de hombre. Sabían ya que ningún gesto del otro podía ser desconcertante, habían rebasado los límites de su propio cuerpo. Respiraban juntos el mismo aire, el aire comprendido en su abrazo. Y surgían las palabras del amor, ese lenguaje balbuceado, torpe.

¿...?

...

—¿Tienes frío?

—No.

Y Rodrigo recogía las sábanas, la cobija raída... La arropaba como a una niña, como si fuera su hija.

—Rodrigo, eres mi papá y mi mamá y mi hermano y mi hermana y mis hijos y mi tierra... Rodrigo... Rodrigo, eres la catedral y el zócalo, Rodrigo, eres *Las Delicias* y la mesa siete y las flores de plástico y la güera que nos sirve.

Sentían un inmenso agradecimiento y eso los hacía regresar el uno al otro, internarse en ese abrazo porque nada mejor podía serles dado. Ella tuvo un sentimiento de felicidad tan violento que se le llenaron los ojos de lágrimas. Rodrigo no le preguntó nada. Sabía por qué lloraba.

Afuera llovía. Pensó que a la salida le caerían gotas de agua en la cara y en el pelo, le dio gusto; caminarían tomados de la mano, riéndose, sonriendo, buscándose con los ojos continuamente.

Alguien caminó en el pasillo.

—¿Quién viene?

—No sea miedosa —sonrió Rodrigo—. Aquí tengo la llave.

—Pero es una puertita de nada.

—¡No sea coyonetas!

Alguien tocó a la puerta.

—Ya ves, te lo dije.

—No es aquí, es en la otra.

—Pero ¿por qué?

—Se han de estar tardando demasiado.

El ruido en la puerta era ofensivo, terrible.

—¡Qué manera de tocar!

—No van a abrir, no te preocupes.

El encargado derribaría la puerta. Julia pensó en los amantes enlazados. ¡Y todo porque se habían tardado! Ellos, en cambio, nunca se tardaban. Rodrigo se sentó en la cama y le mesó el cabello.

—¿Ya nos tenemos que ir, Rodrigo?

—Sí, lo sabes... Tengo un compromiso.

Mientras se vestía, Julia miró el cuarto. Una pared era rosa, la otra crema, el techo café con leche y el baño sin puerta de un verde estridente. En el cuarto apenas si cabía la cama con su colcha deslavada y lacia y una escupidera abollada.

Se vieron en el espejo riéndose:

—¿No hacemos buena pareja?

Se vistieron el uno al otro, se peinaron juntos pasándose el peine. Julia lo besaba, se metía a la cama toda vestida debajo de las sábanas. Rodrigo la alcanzaba y se volvían a encontrar temblorosos.

—Julia.

—Sí, ya sé, es muy tarde. Es muy tarde.

—Es que no recuerdo ni dónde dejé el coche.

Siempre que se iba, Rodrigo manejaba de prisa, nerviosamente, maldiciendo los embotellamientos, el rostro duro, fijo en los altos, como si el poder de su mirada en el parabrisas fuera empujando los coches detenidos. A veces le tomaba la mano, único reconocimiento de su presencia en medio de la multitud. A Julia le sorprendía verlo de perfil. Se veía mayor entonces, con un rostro de hombre de acción, un rostro que Julia no reconocía.

—¿En qué piensas, Julia?

—En el regreso.

—Siempre te anticipas a las cosas.

—Es que ya nos vamos.

Rodrigo le pasó un brazo por los hombros y le besó la frente.

—Ay, ya sé, es el beso de la despedida.

Y se tapó la cara con la almohada.

—¡Julia!

—Rodrigo, yo no hago nada por salvarme.

Había un lenguaje que iba más allá de Rodrigo.

—Rodrigo, tápame el corazón con esa manta.

Rodrigo la miraba sin entenderla. Caminaba alrededor de la cama, abrochando un botón olvidado de su camisa, mientras le sonreía consecuentándola.

—Rodrigo, quisiera que fueras un canguro y que me llevaras dentro de tu vientre.

Julia esperaba que Rodrigo le dijera alguna cosa: algo que llenara el hueco. Rodrigo le hacía falta para andar, para levantarse rápidamente en las mañanas, para que la tierra no le oliera a niño muerto, para que nada fuera irreparable... ¡Desnúdate, amor mío, ha llegado la hora de morirnos!

En la entrada de su casa, Rodrigo se despedía:

—Te voy a echar un grito, apenas pueda.

Julia asentía con una pobre sonrisa, sacudiendo la cabeza. En su rostro no quedaba nada de ella; no era la del cuarto de colores, si acaso, la delgada puerta golpeada por un puño irascible.

—Te hablo... mañana... a...

—Sí, sí —aprobaba Julia.

Entre tanto, había mucho que recordar. Caminaban con los ojos levantados hacia los edificios familiares con sus fachadas porosas donde anida el sol y los balcones: yerbazales escapando de macetas colgadas como jaulas, semillas encarceladas, pájaros que picotean las briznas de la tarde entre los tanques de gas, los tinacos, la santamaría y la yerbabuena. Allá abajo se encogían las calles, Jesús María, Regina, Mesones, Justo Sierra, Santa Efigenia, San Idelfonso, la Santísima, Topacio, Loreto y las de Belisario Domínguez, Leandro Valle y Cuba, que desembocan en la plaza de Santo Domingo, esa paloma caída, todavía tibia y palpitante.

—Ay Rodrigo, ¡un cuartito por aquí para nosotros! ¿Te imaginas lo que sería abrir la ventana?

Se detenían ante los letreros: "Se renta, informes en Academia 19". El cuartito, en la calle de La Moneda, daba a un muro de tezontle, una fortaleza de tuna cardona, roja y cálida, terca de esperanza.

Casi siempre tropezaban con la benevolencia de los porteros.

—En realidad son despachos. Como eran casas viejas, el baño está abajo.

—No importa, no importa.

—La renta es de trescientos cincuenta pesos.

—¿Tanto? ¿Por qué tanto?

—Ha subido mucho por acá...

Pero los miraban con simpatía.

—Claro que si ustedes hablan con el dueño, pue que les rebaje tantito.

Un día, Rodrigo, al pasar, rompió toda una caja de refrescos que estaba en el zaguán, casi los doce cascos vacíos.

—Ahorita le pago, patrón.

Pero el gordo no quiso cobrarle. Al contrario, los invitó a que volvieran al día siguiente, a ella con su pelo que volaba, su bolsa sobre el hombro y el suéter hecho bola, todo por ningún lado, y a él, que sabía hablarle a todos con esa camaradería risueña, descuidada y rápida.

—Sabes, Rodrigo, yo creo que les gustaría tenernos de vecinos.

Se iban la mano en la mano, sin separarse siquiera cuando la gente se apretujaba en la banqueta. Si acaso tenían que soltarse, los dedos se buscaban luego imperiosos, las manos náufragas, ansiosas. En 5 de Mayo había un edificio macizo, sostenido por dos fatigadas cariátides. Julia lo amaba por encima de todos. Adentro, despachos y despachos y sastrerías y notarías y fletes y cobranzas y alquileres. Al lado, como una gran boca dorada, se abría un café de chinos: los panqués redondos y grasientos se amontonaban en sus moldecitos de papel acanalado en una vitrina que un foco mantenía caliente. En todos los cafés había panes, boludos, botijones, que cabían en el interior de la mano y anuncios de cerveza y la comida corrida escrita en una pizarra de cartón con gis blanco: habas sin hache y frijoles con ge. Postre con acento.

Rodrigo y Julia lo husmeaban todo, subían unas escaleras de madera muy estrechas.

—¿Lo quieren para oficina?

Rodrigo musitaba quién sabe qué, Julia hubiera contestado:

—No señor, es que no tenemos a dónde ir.

Pensó en una lámpara con pantalla antigua, de esas de fleco, que cuelgan de los techos, una ventana que da a la calle para ver la luz prendida y saber que Rodrigo estaba allí esperándola. ¡Ay, Rodrigo, desde aquí se oyen las campanas de catedral!

Invariablemente después de esas rondas, Rodrigo declaraba enérgico:

—Vamos a organizar un cuartito.

Pero los dos sabían que no lo tendrían porque no lo deseaban lo suficiente, porque a Rodrigo le bastaba con decirle a Julia: "¡Te voy a echar un grito!" y Julia se conformaba siempre, aunque a lo mejor una noche, el grito lo daría ella, un grito de animal vencido, un aullido de perro pateado, de esos que se alejan con la cola entre las patas; no, perro no, perra, perra de sí misma sin un cachorro siquiera a quién lamer o que lamiera su larga herida, un grito que lo haría pedazos todo, incluso esto, esto que creían su amor, su pobre amor de a tres centavos que zarandeaban por aquí, por allá, que traían de la mano sacudiéndolo por las calles y que un día llevarían a cuestas como una carga insostenible y que quizá compartirían ya nomás por no dejar, por no decir cárgalo tú nomás.

—¿En qué piensas, Julia?

Había oscurecido.

Julia no contestó. Dijo bajito, muy bajito como para sí misma: "Desnúdate, mi amor, que vamos a morirnos".

—Julia, ya vámonos.

Afuera al salir, Julia se volvió y vio el anuncio de gas neón: *Hotel Soledad.*

La hija del filósofo

A la luz roja de la inteligencia discuten los sofistas. Juntan sus cabezas sobre el pozo metafísico, profundizan sus miradas como líneas de pescar y lentamente van extrayendo los problemas. De vez en cuando uno de ellos se quita los anteojos y los limpia, para contemplar mejor el rostro del Maestro. Otros meditan, recogidos en sí mismos, buscando afanosamente la ocasión de emitir la frase más inteligente de la noche. Respiran apenas, mientras de sus dedos amarillentos se desprenden los cigarrillos muertos. Las cortinas participan, pesadas de grandeza estática, en el diálogo trascendente, en el juego monótono de los intelectuales. La luz de la lámpara, sometida por la pantalla roja, dibuja un círculo lunar sobre la alfombra y todos cuidan de poner sus sillas allí dentro, para sentirse abarcados en la redonda inteligencia del Maestro...

"...Napoleón y el surrealismo, el arte chino y la Santísima Trinidad... ¿Hay que conceder a las mujeres el derecho de participar realmente en la experiencia amorosa? ¡Por favor! De todos modos, la policía es un asco... Consultemos los libros, vayamos directamente a las fuentes, la cultura, señores, es un asunto muy serio. ¿Quién de todos ustedes fue el que dijo hace un momento, 'sólo sé que no sé nada'?" Silencio. Ha comenzado a hablar otra vez el Maestro, el jefe de la banda de asaltantes de libros. Con voz pesada, como quien hace su testamento, va poniendo el punto agudo de su inteligencia en cada inerte pensamiento. Y todas las inteligencias que le están subordinadas ceden y se ablandan, se dejan henchir poco a poco, y los cerebros son como esponjas que se sumergen en aguas vivas. Hay un momento en que no pueden ya alojar una gota más de talento, y los rostros sonríen rebosantes. Sólo un joven intelectual celoso no cede a la sugestión del Maestro, y se queda aislado y seco, en la orilla del círculo luminoso, que apenas roza con la punta del pie. La sabiduría del Maestro ahoga su corazón rencoroso, mientras cuatro palabras miserables vagan por el desierto de su cabeza vacía.

En un rincón de sombra, a donde las voces y la luz no llegan, sentada en una pequeña silla está una niña rubia, de pelos enmarañados, con sueños y pesadillas enredados en sus pestañas, una niña que borda y que se pica con la aguja las yemas de los dedos. Forra en soledad los libros de su padre con una tela de irresponsable color salmón. Y en el lomo de las metafísicas alemanas borda con hilos de seda sus azules faltas de ortografía. De vez en cuando la llama su papá, filósofo, jefe y maestro. Va y limpia los ceniceros, recoge los restos de una copa aniquilada por una frase violenta, renueva las dotaciones de oporto y añade galletas a la bandeja que los infatigables pensadores han dejado vacía. Los oye hablar, pero no les entiende, cuando alguien recita un poema también se queda sin entender, pero cuando menos las palabras suenan bonito y se pone contenta.

Así pasa la vida. Dos veces por semana, mientras el sol de la tarde lucha en la espesura de las cortinas, o mientras cae lentamente la lluvia, los escritores se reúnen para sus extensas discusiones. Afuera, viento, lluvia o rayos de sol. Adentro, grandes palabras, cenizas de cigarrillo y forros de color salmón.

Pero un día ocurrió lo imprevisto, y la suerte apuntó en dirección del poeta celoso. Cansado de combatir como un enano frente a la gigantesca oratoria del Maestro, optó por batirse en retirada. Sus cuatro palabras miserables yacían en la sombra, definitivamente opacadas por la brillantez ajena. Resolvió no volver más a las reuniones, alejó por de pronto su silla del círculo de luz, y sus ojos se dirigieron al rincón más oscuro. Allí estaba la niña, como un dulce territorio, lejos de las murallas dialécticas, desprovista de alambradas irónicas. Y el resentido apuntó sus baterías a esa desmantelada posición del enemigo luminoso. Aprovechando una ardua discusión, un brusco cambio de golpes entre el Maestro y su adversario más calificado, furtivamente fue hacia ella y se sentó a su lado. La niña solitaria lo recibió temblando. Dejó de sonreír al hada madrina, a la carroza encantada, al zapatito de cristal y al pozo de agua, y se puso a mirar gravemente la punta de sus dedos picados. Él comenzó a hablar, a decirle que las páginas de la vida se habían abierto para ella, y que eran más hermosas que las de los cuentos infantiles. Se puso a contarle el cuento de la rosa inexperta y el ruiseñor verdadero, que le fue abriendo con su voz todos los pétalos. Y ella sintió miedo y fue en busca de las tazas vacías y de los ceniceros colmados, y llenó otra vez las copas de oporto, y sació el hambre metafísica de los sofistas con abundantes galletas rellenas. Interrumpió la lectura de un poema exclamando con voz quebrada: "Papá, por amor de Dios, ¡las sirenas son doncellas!". Quiso intervenir en las discusiones diciendo sin ton ni son que Confucio era un chino analfabeta, que la batalla de Austerlitz había sido ganada en virtud de un error estratégico, y que la pobre Josefina se aburría esperando a Napoleón, redactor de cartas ineficaces, dedicadas exclusivamente a la posteridad. "¡Niña, cállate!" Y el inconsciente y sabio papá la devolvió al rincón ya peligroso. La entregó al brazo secular, como una Juana de Arco irrisoria y desarmada. Ella que sólo sabía pensar en hojas muertas y en la crueldad del viento que se las lleva, en los elfos que danzan a la luz de la luna y en brujas que desconocen el latín escolástico, fue a dar en manos del rufián cauteloso que iba a emplear toda la pólvora de su inteligencia aplazada, en nuevos y deslumbrantes fuegos de artificio sentimental.

Un día los dos salieron a pasear, mientras el filósofo escribía una extensa refutación a un malvado que atacó su último libro. El celoso planeó una retardada caminata otoñal, en un escenario escogido adrede para perder a la niña. Un laberinto de palabras y ramajes, hecho con lentas pisadas sobre un suelo dorado, lleno de suaves ademanes que se recortaban como un vuelo de pájaros en el aire blanco. Leyó en las páginas de un libro rancio viejas poesías que estaban escritas para ellos, rimadas por un genio malévolo, experto en renuncias y promesas baldías... Árboles brotaban de las frases, cubiertos de hojas cómplices, de flores malsanas y de frutos prohibidos. Y la niña mordió manzanas que ya no eran infantiles. Asombrada y lánguida abandonó su mano entre las suyas. Pájaro ensimismado y tenaz, blanda y ya sometida. En la esquina de calles inesperadas, él inventó pastelerías fantásticas llenas de merengues y tazas de té, resúmenes fragantes del otoño. Y de sus bolsillos sacaba más y más libros turbadores. Páginas que hablaban al corazón dormido y querían llenarlo con vagas plenitudes. (La hija del filósofo sólo había leído cuentos de hadas y el viaje del gran historiador y geógrafo don José Pardiñas y Llanes a través de Persia, Mesopotamia y otros remotos lugares.) Para defenderse, ella hablaba de los mamelucos, de la reina Zenobia y hacía barquitos con las servilletas de papel.

Y la tierra se cubrió de tinieblas. Por primera vez, la hija del filósofo se dio cuenta del crepúsculo. Y compró veladoras y libros de misa, y se arrodilló en todas partes pidiendo perdón con un cirio en la mano. Cambió su indiferencia hacia los demás por una cordial solicitud. Afable y bondadosa, quiso comprar a fuerza de humildad todo aquel mal que no le pertenecía, toda aquella vileza compartida sin derecho. Era buena sólo para conservar su libertad personal, para esconder su culpable botín. Su rostro brillaba afuera, ocultando la oscuridad interior.

El cónclave de sabios seguía funcionando, rodeado de cortinas, presidido por el gran filósofo indiferente, incapaz de advertir en el forro salmón que iba cubriendo sus libros, esa elocuente ola de rubor que de vez en cuando asomaba al rostro de la niña. Dos veces por semana, los sofistas encendían la luz roja de la inteligencia y naufragaban en el espeso mar de la lectura, como un coro de voces embriagadas: "El yo y el ello, ser y tiempo, experiencia de la muerte, Parerga un Paralipomena, prolegómenos a una teoría de la incomprensión mutua, Hölderlin y la imposibilidad verbal, Ezra Pound y la confusión de las fuentes, Neruda y la enumeración caótica..."

Y el poeta traidor seguía asistiendo a las reuniones. Se sentaba como Judas a la mesa del Maestro. Al abrirle la puerta la hija del filósofo lo recibía en casa como a un malhechor, pero no lo desenmascaraba. El celoso entraba en la sala de los intelectuales como un tropel de caballos. Y los cascos duros y cortantes destrozaban primero el corazón de la niña; luego seguían su devastación por toda la casa. Cada mueble que el poeta tocaba se venía al suelo hecho pedazos. La niña debía reconstruirlo pieza por pieza rápidamente, sin que su imaginación dejara de colocar el más mínimo detalle. La taza de café se le evaporaba en la mano y ella tenía que hacer un gran esfuerzo para devolverle su realidad y evitar que los demás fueran a darse cuenta de todas sus destrucciones. Pero todos se quedaban sin comprender.

Alegre, victorioso, ineludible, él tomaba ahora parte en las conversaciones, y sus cuatro palabras no dichas cayeron una vez de golpe, parando en seco todos los discursos agresivos. Lo miraron con benevolencia, luego con estupor. El Maestro se le acercó tímidamente, y le dio una palmada en el hombro. Y quedó armado caballero. El tropel salvaje se hizo entonces más poderoso que nunca, y la niña sintió que su falta estaba justificada por la aprobación general. Sonaron trompetas entre el redoble de los cascos dorados, y el poeta apareció con una armadura magnífica, recién adquirida, y blandiendo una espada de corte infalible. Y sus espuelas relucientes se clavaron para siempre en la conciencia infantil y malograda.

Pero cuando estaban solos, ella era dichosa. Se rendía a su amor, pensando que en esta vida lo único que vale la pena es la concesión gratuita y espantosa de sí mismo. Los reproches se apagaban en la flor de sus labios porque él sabía clausurarlos. Su poder era inquebrantable y ajeno a la vida real, triunfaba sobre todas las cosas, y ella no era más que un riachuelo en donde él se lavaba las manos culpables.

Y un día volvió a pasar lo imprevisto. El celoso en su ambición inconmensurable, inventó una quinta palabra. Una palabra de posesión y dominio que hirió al Maestro por primera vez en su carne, muy lejos de la vanidad y el amor de sí mismo. Y el filósofo miró por primera vez fuera de sí, y encontró los ojos de su hija inundados de lágrimas. No había modo de reducirla, en el espacio verbal de una frase brillante; allí estaba, innumerable, muda y dolorosa. Era la vida. Y la vida iba a irse para siempre de su lado, arrebatada por aquella mano intrusa, en la que él mismo había puesto un arma violenta. (Afuera, se apagaba la luz del último día verdadero. Adentro, sitiado por las cortinas, se empequeñecía el universo de las grandes palabras, de las cenizas de cigarrillos y de los libros forrados de tela salmón.)

La hija del filósofo se despidió de su amigo y cerró cuidadosamente la puerta. Pero la última pisada de caballo se ancló para siempre en su corazón. Al volver la vista, halló los destrozos de un mueble, y ya sin temor, lo reconstruyó. El filósofo pidió con humildad más oporto y galletas. Todos se reunieron de nuevo en el círculo de la luz roja, y más por costumbre que por convicción, entonaron un himno a la cultura.

El inventario

—Esta mesa es Chippendale.

—¡A ver, muchachos, al camión!

Vocea: "¡Una mesa con las patas flojas, una!"

—Un cuadro de la escuela de Greuze.

—¡Una tela grande rayada, una!

—Una consola Louis Philippe.

—Oiga, yo creo que estos muebles son del tiempo de don Porfirio, porque mire nomás el polillero.

—Dos vitrinas de Wedgewood.

—¿Cómo dice usted?

—Wedgewood... Voy a deletreárselo.

—¡Salen dos vitrinas! ¡Mira, ésta no cierra...! ¡Dos sillones con la tapicería percudida, dos!

—No está percudida, así es, estilo Regency.

—Es que nosotros tenemos la obligación de poner cómo están, si no luego nos reclaman. Y todas esas mesitas redondas, ¿también nos las llevamos?

—Sí, también son para la bodega.

—Y si no es indiscreción, ¿por qué mejor no las vende?

—Son de mis tías, son de mi familia, cosas de familia. ¿Cómo las voy a vender? Nosotros no vendemos, mandamos restaurar.

—Pues también se le van a apolillar. Mire este cajón, ¡ya está todo agujereado! Y está chistoso el cajoncito. Mire no más cuánto tiempo gastaban los antiguos en estas ocurrencias... Todo de puros cachitos.

Una mañana subió Ausencia. Se arrodilló junto a la cama, a la altura de mi cabeza sobre la almohada y desperté con el rostro de la cocinera esperándome, ese rostro gris, viejo, grueso.

—¡Ya me voy, señorita!

—¿Qué te pasa Ausencia?

—Es que me voy antes de que se me haga tarde.

—No entiendo.

—¿No quiere usted revisar lo que me llevo? Allá abajo está la camioneta.

—Por Dios, Ausencia, ¿qué haces?

—Es que las cosas ya no son como antes... Me llevo el ajuarcito de bejuco. Ése me lo regaló su abuelita.

(En la calle estaba la camioneta muy pequeña con todos los pobres muebles apilados, patas para arriba. Allí amarraron al perro.)

En el principio fueron los muebles. Siempre hubo muebles.

—Oye, ¿a quién le tocó el esquinero de marquetería poblana?

—A tía Pilar, pero en compensación le daremos a Inés las dos sillas de pera y manzana.

Era bueno hablar de los muebles; parecían confesionarios en donde nos vaciábamos de piedritas el alma. Hablar de ellos era ya poseerlos. En el fondo de cada uno de nosotros había una taza rencorosa, un plato codiciado de Meissen, un pastorcito de Niderwiller "que yo quería y estaba en otro lote". A pesar de que todos éramos herederos, y herederos de a poquito, a pesar de que nos espiábamos con envidia, el aire estaba lleno de residuos que nos unían y había la posibilidad de que el día menos pensado nos dijéramos: "Oye, el arbolito chino, ¿no me lo cambiarías por aquella bicoca de Chelsea que tanto me gusta?... Vale más el arbolito, sales ganando..."

—Una luna sin espejo.

—¿Cómo que sin espejo?

—Es que está empañado.

—Así son esas lunas venecianas. No son para verse. Son de adorno. Son para borrar los recuerdos.

—Como usted mande. ¡Sale una luna rajada, marco dorado, una!

(Me están despojando de algo. Toda mi vida he estado prendida a estos muebles. ¡Cómo me miran! Invadieron mi alma como antes invadieron la de mi abuela y la de mis tías, la de mis siete tías infinitamente distraídas y desplazadas, siempre extranjeras, siempre en la luna del espejo; y la de mis nueve primas a la deriva... Se están llevando la primera capa de mi piel, caen las escamas.)

—Por favor, pongan más cuidado...

—Es que el mal ya está en los muebles, señorita, ya no sanan. No es cosa nuestra. Mire no podemos ni tocarlos. Parecen momias y se nos desbaratan en las manos. ¿Cómo le hacemos, pues?

Ausencia, con su suéter y su chal cruzado sobre los hombros, su chal para taparla del frío de todos estos años no vividos, el frío de toda esa vida con nosotros, la nariz amoratada en la mañana fría, las mejillas azules por ese vello negro, monjil como el plumón de los pollitos, Ausencia con su boca muy cerca:

—Me voy para San Martín Texmelucan. Me llevo a la Dickie, a la Blanquita, al Rigoletto, al Chocolate, y a mi ajuarcito de bejuco...

Allí está Ausencia implacable, tan implacable como los muebles.

—Qué quiere usted, así es la vida, las cosas se van deteriorando; también con los años se va agrietando el carácter. Véalo todo bien, para que luego no diga... A esa silla le clavaron el brazo; mire qué clavote tan burdo. Se la fastidiaron de plano. Bueno, no es silla, como sillón ¿verdad? Más bien parece mecedora, ¿o será un banquito al que le añadieron el respaldo? Pero le rompieron el brazo y allí mal que bien se lo pegaron con Resistol. ¿Qué no se dio cuenta? ¿O es que usted no está al pendiente? Se la voy a embodegar, pero fíjese bien que todo está chimuelo, todo cojo, todo medio dado al cuas.

Ausencia, plomiza, secreta, arrodillada. Otro mueble viejo que sacamos a empujones.

—Levántate, Ausencia, por favor. ¡No te hinques, Dios mío! (Lo ha hecho a propósito. Esto parece telenovela con lanzamiento. "¡Por favor no me saquen de aquí!" Pero ella se va, porque ya acabó de estar. Se me hinca encima para que yo sienta toda la vida el peso de sus rodillas de mujer que trapea el piso. Vamos a llorar. Pero no, ella nunca llora. Al contrario, cuando mi abuelita estaba para morir, subió a verla una sola vez, plañidera muda, con todo el pelo gris destrenzado sobre los hombros, porque le dijeron que ya no había tiempo, que la señora la mandaba llamar.)

—Ausencia, le encargo a mis perros, a la Violeta, a la Blanquita, al Seco, a todos mis buenos perros callejeros, a todos mis pobres animalitos. ¡Que no se vayan a meter a la basura! ¡Que no les vuelva a dar roña!

Ausencia asintió con su nariz esponjosa de poros muy abiertos, con las puntas de sus pies vueltas hacia dentro y su viejo pelo canoso cayéndole como cortina sobre la cara y los hombros. No lloró, al menos no hizo aspavientos como las otras. Maximina se tiró en la escalera y se acostó a lo largo de seis peldaños.

Moqueaba, sorbía sus lágrimas, volvía a moquear, empapaba la alfombra con lágrimas que le salían de todas partes, de quién sabe dónde. Impedía el paso. Ninguno podía subir a ver a mi abuelita a su recámara, a ver lo bella que había quedado acostada sobre su blanca cama. La tía Veronique no quiso que la metieran en la caja y la velamos en su cama toda una noche y media mañana. Hasta abrimos las cortinas en la madrugada porque a ella le gusta ver el sabino. Ella sonreía, sus hermosas manos cruzadas sobre el camisón bordado y amplio que había sido de su madre; los que entraban a verla hacían el mismo comentario: "Parece que está dormida. ¡Qué tranquilidad! ¡Qué paz!". Yo le hablaba bajito: "Abuelita: ¿corremos a esta visita que no te cae bien? Es la que te copió tu par de silloncitos Directorio, ¿te acuerdas? Tomó las medidas mientras le servías el té y el pastel de mil hojas. Ni te diste cuenta... Después te dio mucho coraje ver los sillones en su casa igualitos a los tuyos. Lo contaste durante más de una semana. ¿La corro abuelita? Trae su cinta metro..." Maximina se pasó toda la noche en la escalera zangoloteándose porque Ausencia le había ordenado: "Hágase a un lado, mujer. Hágase a un lado que todo esto no es para usted".

Cuando el censo le preguntaron a Ausencia:

—¿Casada, señora?

—¡No he conocido hombre!

Y no quiso contestar ya nada, como la virgen. Cueva cerrada. Hubo que inventarlo todo, hasta el nombre de sus padres.

—Abuelita, contéstame, todo ha quedado igual como tú lo querías. Todo está en su lugar y nosotros posamos como en una fotografía antigua. Tus retratos amarillentos de Wagner y de Goethe se encuentran en el librero de siempre. No falta una sola pieza en los inventarios; ni una cucharita de sal. Los libros tienen tus flores prendidas; edelweiss de los Alpes, creo. Y hay lavanda entre las sábanas. A cada una nos tocaron dos pares, bordadas a mano, con encajes. Pero como son muy antiguas y no resisten las lavadas, sólo las ponemos cuando nacen niños, nuestros hijos. Sólo entonces... Miento abuelita, miento. Las cosas no siguen igual, Ausencia se fue... Y yo también me estoy yendo, no sé a dónde, quizá a la tiznada.

Siempre se habló de los muebles. Eran una constante, lo son aún, de nuestra conversación, volvían como la marea a humedecernos los ojos. Todos discurrían acerca de ellos con ahínco,

muebles cuello de cisne, teteras de plata firmadas por el orfebre
escocés William Aytoun, encajes de Brujas para brujas desenca-
jadas, encaje de a medio metro, "es bonito el encaje pero no
tan ancho" reía Maximina, porcelanas de Sajonia y de Worces-
ter, estatuillas de Bow análogas a las que pueden verse en el
Victoria and Albert Museum, relojes de Audemars Piguet, grabados de rosas de Redouté, y cuadros, cuadros, cuadros, entre
más negros y menos se veía decían que eran mejores. Sucios
parecían de Rembrandt, túneles de sombra, etapas superpuestas
de oscuridad. Si los hubiéramos limpiado, en ese momento, aparecería la firma de la más tenebrosa escuela holandesa del señor
Van Gouda, el de los quesos. Repasábamos los muebles una vez
al día. Nos hacíamos recomendaciones. "Cierra bien las persianas. Que no les dé el sol. La penumbra siempre la penumbra.
El claro-oscuro. El mejor Rembrandt que hay aquí somos todos
nosotros en la penumbra con estas caras de conspiradores, de
ronda nocturna, de callejón del crimen... Quítales el polvo con
el plumero, nada más con el plumero ¿entiendes? Hasta una franela resulta demasiado tosca. Podría herirlos." Hablábamos de
los muebles y, hay que reconocerlo, también de la salud, bastidor de nuestras entretelas: "Estás ojerosa... Pareces un Greco.
¿Cómo amaneciste? Te veo mala cara. Estás pálida, chiquita, como
una menina verdaderamente descongraciada. Podrías volver a
acostarte; nada pierdes con pasarte el día en la cama... ¿En
qué estás pensando? Siempre pones esa cara de distracción cuando te estoy hablando. ¡No te mezcas en la silla! La vas a romper.
¿O de veras quieres romperla? Tal parece que sí. Los jóvenes de
ahora son tan irrespetuosos. Son unos vándalos".

Dos sillas, una frente a otra, eran mis preferidas por su alto
respaldo. Me volteaba hacia el bastidor; hacia el tejido de paja
y espiaba a través de los agujeritos. El cuarto se veía entonces
fragmentado, exágonos de panal que podía mover a mi antojo.
Los hacía danzar y todo lo descomponía; la cara de mi abuelita,
la consola; nada tenía dueño, nada era de nadie; todo eran mil
pedacitos; astillas de muebles, astillas de luz, astillas de abuelita; astillas de piel blanca. Las cosas perdían peso; no tenían de-
positario.
    —Detrás de este enrejado se ven puros cristales rotos... Por
la ventana entran unas estrellas que se equivocaron de puerta...
Me gusta que todo se divida en dos; que haya dos de cada uno,
abuelita, que nada sea único e irremplazable.

La detentadora de los inventarios era la tía Veronique. Los revisaba con su lápiz en la mano, corrigiendo las faltas de ortografía, poniendo crucecitas, tachando y añadiendo, reconstruyendo en la memoria viejos muebles inexistentes. "¿Te acuerdas de aquel biombo de dieciocho hojas de la época de Kien-Long?" De su boca surgían las palabras como un collar de perlas amarillas, que se desparramaban y se iban rodando por todos los rincones y que nosotros recogíamos con prontitud y reverencia para que las criadas no fueran a barrerlas por la mañana. Ella bautizó los muebles, ella los repartió, buena conocedora podía distinguirlos, estilo por estilo y época por época. "Esta polilla es del siglo XVII, Renacimiento en plena decadencia." Con las palabras ganó; las domó; sabía ordenarlas, siempre supo ensartarlas en el hilo lógico e irrompible. Todos callaban cuando ella hablaba; sus veredictos eran inapelables. La tía Veronique expresaba tan bien sus exigencias, su dominio era tan evidente, que le conferíamos todos los derechos.

—Sabe usted, todo entra en descomposición, aunque el proceso sea lento y apenas perceptible. Estos muebles debió usted lubricarlos; sus cuadros, también, con aceite Singer, sí, sí, el de las máquinas de coser. Con eso no se oscurecen. Claro, algunas amas de casa prefieren limpiarlos con una papa partida por la mitad y luego luego, la papa se ennegrece de la pura mugre... Después se fríen a la hora de comer y quedan muy ricas, ¡papas a la francesa! Hay que tallar toda la tela hasta el más recóndito rincón. Entonces surgen detalles que hacen batir palmas. ¿O es que a usted no le gustan las antigüedades? Cuando se cuidan las cosas el tiempo no transcurre, sabe usted. Su abuelita, la señora grande, su tía, ¡ah!, cómo cuidaban sus cosas. ¡Cómo venían a verme apenas había alguna congoja en un mueble, apenas se despostillaba alguna de sus pertenencias! "Maestro, usted que es un experto..." Ah, cómo amaban los muebles; a usted ¿no le gustan los muebles?

Y el restaurador se ponía y se quitaba un monóculo invisible.

—Sí. Pero nos han durado mucho tiempo. Tres generaciones. Aquí todo dura demasiado. Además, no puedo estar encerrada con ellos toda la vida.

—Y eso qué tiene. Una cosa es la vida, otra son los muebles...

—Es que yo no puedo con tantos cachivaches... En esta casa no pasa nada, nada, ni siquiera un ratón del comedor a la cocina.

—¡Uy, yo en su lugar qué más quisiera que estar aquí viendo estas piezas de época! ¿Qué va usted a hacer afuera? Lo único que va a sacar es que algún día le den un mal golpe. Y entonces verá el consuelo que le proporcionan estas sillas, esta cómoda aunque no tenga jaladeras. Hacen mucha compañía. Además si tanto le gusta salir ¿por qué no cabalga en el brazo de este sillón? ¿Acaso no sabe usted que uno siempre regresa a lo mismo, a lo de antes? ¿No sabe que uno siempre llama a su mamá a la hora de la muerte? ¿No sabe usted que los círculos se cierran en el punto mismo en el que se iniciaron? Se da toda la vuelta y se regresa al punto de partida. Ojalá y siempre pueda encontrar a su regreso esta preciosa mesita, junto a su cama con una taza de infusión tiempo perdido...

Y el anticuario restaurador se puso por última vez su monóculo y se me quedó viendo con la ceja levantada para siempre, como un inmortal, un fatal agorero.

Cuando acompañé a la tía Veronique a ver al señor Pinto en su taller oloroso a aguarrás, a todas las maderas, a todos los bosques del mundo, uní por primera vez los muebles con los árboles. El señor Pinto, en su banquito, con sus lentes de arillo redondo, la vista baja, parecía envuelto en esa emanación de olores y su cara y sus manos tenían la textura de sus tablones. Pero él no se daba cuenta. En cambio la tía Veronique dejaba de dar órdenes, hasta creo que olvidaba a lo que había ido. Husmeaba agitada y se escondía tras el rumor del serrucho. Recorría las esquinas de una mesa despacio, despacito, metía sus dedos muy finos en algún intersticio y abandonaba uno de ellos allí con indefinible placer. El dedo y la hendidura se correspondían suavemente, se sumergían el uno en el otro, y sin saber cómo ni por qué, la tía me comunicaba su propia excitación. Percibía por vez primera algo desconocido y misterioso. La tía Veronique respiraba fuerte como si su cuerpo rozara algo vivo y demandante, algo que nunca se iba a consumir y que subía con ella a medida que su respiración se hacía más anhelante. Entonces daba indicaciones con una morbidez vaga, con los ojos saciados y de ella salía no sé qué, algo que no eran sus palabras habituales, delatada por sus labios hinchados. Entonces me di cuenta de que los muebles están hechos para recibir nuestros cuerpos o para que los toquemos amorosamente. No en balde tenían regazo, lomos y brazos acojinados para hacer caballito; no en balde eran tan anchos los respaldos, tan mullidos los asientos; no eran muebles vírgenes o primerizos, al contrario, pesaban sobre la conciencia. Todos estaban cubiertos de miradas, de comisuras resbaladizas, de resquicios, de costados esculpidos; había rincones llenos de una luz secreta y una fuerza animal surgía inconfundible de la madera.

Los muebles eran la materialización de todos sus recuerdos: "Este taburetito, sabes, lo tuvimos en el departamento de la Rue de Presbourg..." Yo no quería concretar sus memorias ni vivir de esas cosas a las que se aferraban en su naufragio, los muebles, como tablas de salvación, tablas de perdición. ¡Que no me legaran todos sus recuerdos! ¡Que no me pasaran su costal de palabras muertas, sus actos fallidos, sus vidas inconclusas, sus jardines sin gente, sus ansias, sus agujas sin hilo, sus bordados que llevaban de una pieza a otra, sus letanías inhábiles! Que no me hicieran voltear las hojas de álbumes de fotos ya viejas, manchadas de humedad, esas fotos café con leche de sus tíos y sus tías yodados, tránsfugas, también añorantes, guardados en formol, enfermos de esperanza, hambrientos de amor, prensados para siempre con su amor, amor-olor a ácido fénico. ¡Que no me hicieran entrar al amo ató matarile rile ro de los que juegan a no irse!
Más tarde a la tía Veronique le dio por examinarme genealógicamente:
—Oye y ¿cómo se llamaba la mamá de tu bisabuela rusa?
—No sé, no sé, no sé. Lo único que sé es que ellos están muertos y yo estoy viva.
Pero volteaba las hojas de los álbumes porque soy morbosa y me detenía en algún rostro, y a cada hoja le dejé algo de mi sangre y ahora la tengo espesa, llena de barnices corrosivos, de pétalos marchitos, de remotos abolengos, de cristales apagados, de ancestros que jamás conocí y llevo a todas partes con tierna cautela a pesar de mí misma.

Una tarde le dije: "tía..." a la hora del té. Una luz difusa entraba, se derretía blanda por la recámara. Era una hora propicia. La tía Veronique tenía su mirada perdida, borrosa, como que regresaba de quién sabe dónde y su voz era la voz de todos los regresos.
—Tía, me quiero casar.
(Le expliqué, insegura y nerviosa. Nunca he tenido la certeza de nada.)

—Bueno, tú sabrás. Lo único que puedo decirte es que ese señor no hace juego con nuestros muebles.

—A esta niña le haría bien un viaje a Europa.

(Mi familia ha resuelto siempre los problemas con viajes a Europa; conocer otro ambiente, ver otras caras, cambiar de aire, ir a la montaña para la tuberculosis del espíritu y de la voluntad, oxigenar el alma, el aire puro de las alturas.)

—Un viaje a Europa, eso es. Le sentaría...

—No quiero. Europa es como un pullman viejo.

—¿Qué dices?

—Sí, un pullman viejo con sus cortinas polvosas, sus asientos de peluche color vino, sus cordeles raídos, sus flecos desdentados, sus perillas de bronce, su deshilacherío. Huele feo.

—Podrías ver el cambio de guardia ante el Palacio de Buckingham. Podrías entrar a Buckingham, dejarle una tarjeta con la esquina doblada a la Duquesa Marina de Kent.

—No quiero ver a esos imbéciles de plomo con sus borregos en la cabeza rellena de tradición. No quiero ver viejas pelucas rizadas de viejos jueces, la cara enharinada sobre la mugre. No quiero ver viejas señoritas con sombreros atravesados con un alfiler de oreja a oreja para que no se les vuele. ¡No quiero! Prefiero África. Mil veces África con sus gorilas evangélicos. Eso es, irme a evangelizar gorilas.

—¡Déjala! Eso no es ella. En realidad, sus amistades la han trastornado... ¡Ya se le pasará! ¡Ya nos regresará! Ya decía yo que no debía salir tanto de la casa.

Hoy a las diez de la mañana vinieron por los muebles. Se estacionaron frente a la puerta dos camiones de mudanza Madrigal con sus colchonetas, sus cuerdas y sus hombres que se tapan la cabeza con un costal abierto a la mitad, como árabes sin turbante. Llegaron tarde. Los mexicanos nunca son puntuales. Yo no sabía que habíamos acumulado tanto trique, pero fueron necesarios dos camiones. "Rápido, muchachos, hay que aprovechar el tiempo", y en la puerta se paró el señor Madrigal con su tablero, para apoyar el papel en que iba aumentando la lista y el lápiz para apuntar que se llevaba a la boca y se la pintaba de violeta. De pronto sentí que estaba arriesgando mucho más de lo que había supuesto. Siempre he tenido miedo a equivocarme. Hubiera querido que se rompiera la realidad pero la realidad jamás se rompe. Quise gritar: "¡No, no, deténganse, no se los lleven! ¡No toquen nada!..." De pronto ya no eran muebles sino seres cálidos y vivientes y agradecidos y yo los estaba apuñaleando por el respaldo. Los cargadores los vejaban al empujarlos en esa forma irreverente. Los habían sorprendido de pronto en las posturas más infortunadas y dislocadas; los hacían grotescos, los ofendían, los culimpinaban. Recordé aquel asilo de ancianos: Tepexpan, en que se sometía a los inválidos a toda clase de vejaciones a las que no podían oponerse. Se dejaban. ¿Ya qué más daba? Ya ni vergüenza. No podían ni con su alma. Allá fue a dar el señor Pinto. A los pies de su cama de fierro pusieron una plaquita: "José Pinto, Ebanista" y de su cuello colgaba la misma etiqueta. Nunca agradeció nuestras visitas ni levantó la vista, sus ojos ya velados. Ahí acabó el pobre. Recuerdo que a su lado un viejecito se tapaba con las cobijas todo equivocado y dejaba tristemente al descubierto sus ijares resecos y enjutos. Una enfermera me explicó enojada: "Lo hace a propósito. A diario hace lo mismo. Siempre enseñando su carajadita. Siempre a propósito". También ahora los muebles lo hacían a propósito, para mortificarme, como una forma de protesta, para pegárseme como lapas, como se le pegaron a mi abuelita, a mis tías. "¡Tontos! ¡Inútiles! Ya perdieron. No quieran asaltarme. ¡Tontos! ¡Ridículos! Éste es sólo un desfallecimiento pasajero. ¡No protesten contra lo irreversible! Me dejé impresionar sólo un momento, siempre he sido precipitada, nunca prudente. Ahora ustedes se van ¡y muy bien, idos!"

Los subieron penosamente al camión. Ellos no se dejaban, todavía se debatieron con sus patas sueltas. Yo ya no sentí nada. Puse mi nombre con firmeza en cada uno de los recibos extendidos sobre el tablero. Después arrancaron como dos paquidermos. ¡Qué torpes son los camiones de mudanza, Dios mío! En su interior se asomaban los objetos. Les vi la cara, hice mal (las consecuencias vendrán más tarde), y me quedé parada en la acera un largo rato, muy largo, cansada, hueca, completamente vacía.

La felicidad

Sí, mi amor, sí estoy junto a ti, sí mi amor, sí, te quiero mi
amor, sí, me dices que no te lo diga tanto, ya lo sé, ya lo sé,
son palabras grandes, de una sola vez y para toda la vida, nunca
me dices vida, cielo, mi vida, mi cielo, tú no crees en el cielo,
amor, sí mi amor, cuídame, que no salga nunca de estas cuatro
paredes, olvídame en tus brazos, envuélveme con tus ojos, tápame con tus ojos, sálvame, protégeme, amor, felicidad, no te
vayas, mira allí está otra vez la palabra, tropiezo en ella a cada
instante, dame la mano, más tarde vas a decir, felicidad estuviste
con nosotros, sí, lo vas a decir, pero yo lo quiero pensar ahora,
decirlo ahora, mira, entra el sol, el calor y esas ramas de la hie-
dra tenaces con sus hojitas pequeñas y duras que se cuelan por
el calor de la ventana y siguen creciendo en tu cuarto y *se enre-
dan a* nosotros, y yo las necesito, las quiero, son nuestras ata-
duras, porque yo, amor, te necesito, eres necesario, eso es, eres
necesario y lo sabes, hombre necesario que casi nunca dices mi
nombre, no tengo nombre a tu lado y cuando dices esto y lo
otro, nunca aparece mi nombre y rechazas mis palabras, felicidad,
amor, te quiero, porque eres sabio y no te gusta nombrar nada,
aunque la felicidad está allí, *en acecho*, con su nombre feliz que
se queda en el aire, encima de nosotros, en la luz cernida de la
tarde, y si yo la nombro se deshace, y viene luego la sombra y
yo te digo, amor, devuélveme la luz, entonces con la yema de
tus dedos recorres mi cuerpo desde la frente hasta la punta del
pie, por un camino que tú escoges, reconociéndome, y yo me
quedo inmóvil, de lado, de espaldas a ti y devuelves la yema
de tus dedos por mi flanco, desde la punta de los pies hasta mi
frente, te detienes de pronto en la cadera y dices has adelgazado
y yo pienso en un caballo flaco, el de Cantinflas mosquetero
que cuelga su fieltro de plumas en el anca picuda, porque yo,
mi amor, soy tu jamelgo, y ya no puedo galopar y te aguardo
vigilante, sí, te vigilo, diciéndote, no te vayas, nada tienes que

hacer sino estar aquí conmigo, con tu mano en mi cadera, no, no nos vamos de aquí, átame, ponme tu camisa, te ríes porque me queda tan grande, no te rías, ve a traer agua de limón a la cocina porque hace calor y tenemos sed, anda, ve, no, espérame, yo voy, no, yo voy, bueno, anda tú, espera, no te levantes, ahora me toca a mí, ya fui corriendo por el agua y aquí estoy otra vez junto a ti, que estás sobre la cama, libre y desnudo como el crepúsculo, bebe tú también, bebe la luz iluminada, no te das cuenta, no quiero que se vaya el sol mientras bebemos la felicidad, no quiero que se vaya el sol ni que dejes de estirarte así, fuera del tiempo en la tarde y en la noche que entra por la ventana, nuestra ventana, mira, tápala con la mano, que no entre la noche, que nunca deje de haber ventana, aunque tú puedes taparme el sol con un dedo, sí, mi amor, sí, aquí estoy, tu ventana al mundo, tápame con la mano, apágame como el sol, tú puedes hacer la noche, respiras y ya no entra el aire por la ventana, qué felices somos, mira qué tibio eres, la ventana se ha quedado inmóvil como yo, estática para siempre, tápame con tu mano, ¡ay, cuánto olvido de todo!, la ventana nos guarda nuestra única salida, nuestra comunicación con el cielo, te amo, amor, vámonos al cielo mientras la vecina sale a lavar en el patio, en su patio, patio de lavandera, mientras aquí en tu patio nadie lava y hay hierbas locas en el lavadero, son altas y las mece el viento porque no puede mecer la ropa en los tendederos vacíos, te acuerdas, en octubre se dio un girasol, pequeño, desmedrado, pero yo sentí que giraba sobre mi vientre, entre mis cabellos revueltos, revueltos y tristes y amarillos como un pequeño jardín abandonado, un jardincito en las afueras de la ciudad que se trepa por las bardas y que viene hasta aquí y entra por la ventana a esta casa de migajón, casa de pan blanco, donde estoy en el corazón de la ternura, casa de oro, así redonda como la esperanza, naranja dulce, limón partido, casa de alegría, ten piedad de nosotros, envuélvenos con tus paredes de cal, no abras la puerta, no nos saques a la intemperie, te hemos llenado de palabras, mira, mira, di otra vez: mi vida, mi cielo, mi cielo, mi vida, sube el calor y yo ya no sé ni qué hacer para acallar los latidos, y yo no me muevo, ves, no digas que parezco chapulín, saltamontes, no digas que parezco pulga vestida, ya no me muevo, ves, para qué me dices: estáte sosiega, pero si no estoy haciendo nada, sólo te pregunto si quieres dormir, y me acercas a ti, te abrazo y me acuño como una medalla en tu boca, y sé que no, que no quieres dormir, sólo quieres que estemos quie-

tos, quietos y mansos mientras el calor sube de la tierra, y
crece, pulsándonos, te quiero, mi amor, somos la pareja, el ar-
quetipo, me apoyo en ti, pongo en tu pecho mi cabeza de medalla, me inscribo en ti, palabra de amor, troquelada en tu boca,
hay llamas de fuego en tus labios, llamaradas que súbitamente
funden mi sustancia, ahora en la fiesta de Pentecostés, pero nosotros nunca nos vamos a morir, ¿verdad?, porque nadie se quiere
como nosotros, nadie se quiere así porque tú y yo somos nosotros
y nadie puede contra nosotros dos, aquí encerrados en tu pecho y en mi pecho, déjame verte, estás dentro de mí, mírame
con mis ojos, no los cierres, no duermas mi amor, no te vayas
por el sueño, los párpados se te cierran, mírame, déjame verte,
no me dejes, que tampoco se vaya el sol, que no se debilite, que
no se deje caer, no cedas como la luz, sol, déjalo todo igual
sobre mi piel de níspero, mira, me ves ahora mejor que nunca
porque se está yendo la tarde, porque te me vas tú también,
y aquí estoy diciéndote: no te vayas, dúrame siempre, duro como
el sol que vi desde niña con los ojos abiertos, quemándome,
prolongándome hasta que veía negro, negro como el final de los
cuentos de hadas que acaban en la rutina de los príncipes que
fueron muy felices y tuvieron muchos hijos, muchos, no duermas, no duermas te digo, ansiosa, invariable, sin después, porque
no hay después ya para nosotros aunque me dejes, pero no me
vas a dejar nunca, tendrás que venir a recogerme, a unir los
pedazos otra vez sobre la cama y aquí estoy entera, y no puedes dejarme porque tendrías que volver y algo de mí te haría
falta para siempre, como la pieza de un rompecabezas que falta
y destruye todo el dibujo, toda la vida que me has dado y que
no puedes quitarme porque te morirías, te quedarías ciego y no
podrías hallarme, coja, manca de ti, sin palabras, muda, con la
palabra fin sellándome los labios, el fin de todos los cuentos, ya
no hay cuento, ya no te cuento nada, fin, ya nada cuenta, las
cosas se transforman, ya no hay una hora de más sobre la tierra, mira, el mosquitero de la ventana está agujereado, veo las
dos mariposas en la pared con sus alas de papel de china, amarillas, rosas, anaranjadas, y el copo de algodón y el pajarito aquel
de madera que compraste por la calle el viernes en que todo
comenzó, el viernes amarillo como el pajarito de juguete congo
y rosa estridente que nos picotea desde entonces, juguete de niño,
como las mariposas de papel que vuelan en los parques antes
de que las de a de veras salgan del capullo, como las que cru-
cificaste en el otro cuarto, grandes, de alas maravillosamente

azules, transparentes, las traspasaste con un alfiler, una encima
de otra, con un alfiler que me duele y yo te pregunté cómo le
hiciste, pues haciéndolo, y ensartaste la felicidad, la petrificaste
allí en la pared, feliz, otra vez esta palabra, la repito, vuelve,
vuelve y yo la repito, y tú te irritas y me dices, otra vez la burra
al trigo, a las espigas ávidas de la felicidad, qué no entiendes,
no, no entiendo, ayúdame a arrancar la cizaña, ayúdame a caminar por esos trigos de Dios con la aguja clavada ya sin la otra
mariposa, dices que todos estamos solos con la aguja clavada ya
sin la otra mariposa, que nadie es de nadie, que lo que tenemos
es suficiente, y basta y es hasta milagroso, sí, sí, sí, mi amor, es
milagroso, no cierres los ojos, ya entendí, no te encierres, no
duermas, sal y mírame, estás cansado y dentro de poco vas a
dormirte, vas a entrar al río, y yo me quedo en la orilla, la orilla que caminamos juntos, te acuerdas, bajo los eucaliptos, caminando al paso del río, bajo las hojas, bajo las espadas de
luz, estoy abierta a todas las heridas, te traje aquí mi joven
vientre tendido, te doy mis dientes grandes y fuertes como herramientas y ya no tengo vergüenza de mí misma, miento, sí, tengo
vergüenza y les digo a todas las monjas que me gustan las rosas
con todo y espinas, por debajo de las faldas negras, mientras
ellas juguetean con sus rosarios y el viento y la luz no pueden
vibrar entre sus piernas, váyanse de aquí aves de mal agüero,
váyanse, hebritas de vida, mustias telarañas rinconeras, llenas de
polvo, váyanse, estrechas, puertas a medio abrir, váyanse de luto,
rendijas que espían, váyanse escobas, déjenme barrer el mundo
con ustedes, ustedes que barrieron tantos papelitos de colores en
mi alma, y tú quédate amor, quisiera haberte conocido más vieja, hilando junto al fogón las ganas de esperarte, aunque nunca
hubieras llegado, y cantarme yo misma la misma vieja canción,
cuando era joven, él se quedaba dormido al pie de mi ventana,
aunque no fuera cierto, porque viniste ahora temprano, antes de
que yo tuviera tiempo de levantarme, y pusiste tu mano en la
hendidura de la puerta, y corriste el cerrojo, y me gustaron tus
pantalones con los bolsillos deformados, tus bolsillos que parecen llevar adentro todos los accidentes de la vida, y tus propios
pensamientos, como envolturas de caramelo hechas bolita, tus pensamientos, dime qué piensas, mi amor, dime en qué estás pensando, ahorita, pero ahorita mismo que te quedaste así como contigo solo, olvidándote de que estoy yo aquí contigo, mi amor, en
qué estás pensando, siempre pregunto lo mismo, ¿me quieres?,
te estás quedando dormido, sé que te vas a dormir y voy a ves-

tirme sin hacer ruido, y cerraré la puerta con cuidado, para dejarte allí envuelto en el tibio rojo y ocre de la tarde, porque te has dormido y ya no me perteneces y no me llevaste contigo, me dejaste atrás, hoy en la tarde en que el sol y la luz calurosa entraban por la ventana, y voy a ir a caminar mucho, mucho, y me verá la vecina desde su puerta, con su mirada de desaprobación porque sólo de vez en cuando me aventuro por esta vereda, caminaré hasta los eucaliptos, hasta quedar exhausta, hasta que acepte que tú eres un cuerpo allá dormido y yo otro aquí caminando y que los dos juntos estamos
irremediablemente,
irremediablemente,
perdidamente,
desesperadamente,
solos.

Castillo en Francia

Me tomó del brazo. El parque cubierto de hojas que crujían bajo sus zapatos blancos se extendía derruido. "Sabe usted, lo único que le importa ahora es ver lo que ha hecho. Nunca jala la cadena. Se queda allí asomado y luego me consulta: '¿He hecho bien? ¿Es suficiente? ¿Está de buen color?'"

"Hace tres días jalé antes del tiempo convenido y le entró una cólera que lo hizo babear todo el día".

La enfermera sonrió buscando mi complicidad. Instintivamente me hice a un lado, pero de vez en cuando su brazo y su hombro rozaban el mío. No caminábamos aprisa a pesar de una lluvia finita que se colaba entre las hojas de los árboles. "Y todavía hay más... ¡Uy, si yo le dijera todo!... Porque todavía hay más..."

Sacudía la cabeza y le tembló su cofia tiesa de almidón. Me pareció oírla tronar como las hojas de otoño; ocres, doradas, enrojecidas, amarillas. Sus nervaduras se habían secado y eran las primeras en romperse. Sonaban como huesitos de pájaro. Crrric... crrrrr... crrrrrrrrri... crrr. También las venas saltonas de la enfermera eran nervaduras de hoja a punto de reventar.

—No sabe usted lo que pasa aquí... ¡Ah, si yo le contara!

Quise apartarme, pero me apretó el brazo, sus dedos como taladros se aferraron, atenazándome. Arreció el paso y tuve que hacerlo también. Ahora era su capa la que rozaba mi pierna. "Y pensar que las señoras se peleaban sus favores. Todas las puertas de las recámaras del castillo comunican entre sí. Él iba al aposento de la princesa de T, al de la vizcondesa de Z; al de la señora de D; al de la alcaldesa; ¡a la mañana siguiente las señoras se miraban las unas a las otras para detectar quién de ellas había ganado! ¡Se lo disputaban! Algunas aún vienen los fines de semana; se sientan frente al bulto y le hacen la lectura... ¡Je, je, je!, la lectura. Las oigo esmerarse por leer con voz bien modulada. Historia, siempre historia y siempre lo mismo: Napoleón. ¡Creen que aún pueden conquistarlo, convertirse en castellanas! ¡Idiotas!"

Al parque lo habían invadido las grandes hierbas locas, las plastas de pasto verde sin podar, los arbustos espinosos, las ramazones secas, negras: hasta las ortigas; un inmenso parque despeinado, lleno de nudos, de orzuela, de matas enmarañadas, de senderos desmadejados, sin raya ni alisamientos; el lodo desdibujaba los parterres que fueron de Lenôtre y hacía mucho que las pisadas habían machucado las flores. Pasamos frente al quiosco de amor. Era una costra, una llaga purulenta. "Alex, siempre hace las cosas de pacota —alegaban sus críticos—, por eso no duran, por eso su valor como arquitecto es discutible." En el quiosco de amor se emplearon materiales deleznables y la lluvia los había descarapelado. La nariz y el sexo de los cupidos estaban pudriéndose (bajo la lama y los hongos verdosos). Noté que el aire tenía un olor subterráneo, un olor de cosa preñada. Ajado por el viento, envilecido, el quiosco de amor había regresado a su estado fetal: era un molusco, una pasa, un poco de basca, un gargajo.

—¡Se pasó toda la mañana babeando de rabia! Le eché a perder el día. ¡Hubiera visto cómo me miraba!

Dejó de llover. A lo lejos, la neblina —o sería el vaho de la tierra— se levantó poco a poco y cubrió el pie de los árboles. Se veía lechosa, acogedora, lanudita, como si los espíritus de mil borregos blancos estuvieran allí apacentados. "Es la primera vez que veo algo dulce aquí", pensé, levemente reconfortada. Caminé hacia ese aliento tibio de la tierra. La enfermera me siguió, bajo su cofia asomaron una serie de ricitos alambrados como resortes, y dos profundas arrugas —llamadas de la amargura— caían a pique de las aletas de la nariz hasta el mentón tembloroso. "Pero escuche usted, ¿me está oyendo?, ¿se da usted cuenta del grado de confianza que le tengo al relatarle...?" De pronto, entre los árboles surgió una masa velluda, café oscura, sin ojos, ¿Qué es esto, Dios mío? Hasta el corazón se me detuvo. La enfermera siguió caminando, pero al ver mi rostro regresó sobre sus pasos.

—No es nada.

Como no podía moverme, me jaló de la manga.

—No es nada, es uno de los ponis.

Seguí paralizada. .

—Como los caballerangos no los asean, así andan las bestias en el parque. ¿Para qué las pelan si el señor no se da cuenta?

Hace meses que nadie los acicala. Son cinco los ponis y los cinco están igual. (Se acercó familiarmente, ansiosa de proseguir.) Yo siempre me he callado las cosas, pero con usted es distinto, usted inspira con...

Agradecí que reiniciara su monólogo. La masa velluda se desplazaba a lo lejos sin romper ramas, sin hacer ruido siquiera. Un gorila, un pequeño orangután prehistórico nos seguía. De vez en cuando volvía su cabeza hirsuta hacia nosotras pero nunca le vi los ojos. Yo sentí un horror incontenible subir por mi cuerpo. La neblina también iba subiendo; al menos eso creí. Iba pisando humo y bajo el humo yacía el suelo viscoso ·y triste.

—Señorita, ¿no podríamos regresar? Estoy cansada.

Me miró ofendida:

—Bueno, a mí me ordenaron que le enseñara el parque y no hemos visto ni la cuarta parte. Pero si usted quiere.

—Estoy cansada.

—Vamos entonces hacia la avenida.

La mujer ya no habló. Caminamos levantando nuestros pies para despegarlos del suelo chicloso. El poni se había quedado en lo hondo del bosque. La enfermera cruzó sus brazos debajo de la capa. Pude percibir su rencor por no haber sabido valuar en su justo precio el caudal de sus confidencias. Le dije en un tono ligero, informal:

—¿No es ésta la vereda de los naranjos? ¿No hay aquí unos árboles redondos, cubiertos de fruta?

—Sí, están guardadas, cada año se guardan.

—¿Cómo?

—Son naranjas de cera.

Entonces tuve un desfallecimiento pasajero. Le busqué la cara, traicioné a Alex: "Sabe, señorita, este castillo no está a la altura de su fama... En realidad, semeja más bien la morada de un cirquero".

No creo siquiera que me oyera, pero el hecho de que me acercara a ella pareció reconciliarla momentáneamente porque sentí de nuevo su tenaza sobre mi brazo.

—Mañana, cuando él duerma, saldremos a dar otro paseo. Caminar es bueno para la circulación.

Al pasar junto a las cocinas, en los sótanos brotaron unas risotadas que me parecieron ofensivas. Pensé: "¡Qué extraño que les permitan reír con esa vulgaridad!"

Quise ver hacia afuera. Los cortinajes pesadísimos que pendían desde muy alto parecían inamovibles, cada uno de sus pliegues fijos para la eternidad. La tela espesa, un brocado tejido de polvo y tiempo olía a rancio. "Hace mucho que no limpian aquí." Pasé mi mano sobre la balaustrada y muy pronto la retiré, negra. Lo único viviente en esa biblioteca oscura debía ser el reloj. El maitre de pie en una esquina, con los brazos muy pegados al cuerpo, tenía la rigidez inquietante de una figura del Museo de Cera. "¿Llueve?", pregunté. Hizo una señal afirmativa con la cabeza. Tendí la oreja. Hubiera querido oír la lluvia, pero ningún sonido penetraba estos muros tapizados. Me dispuse a hojear un libro, estiré el brazo, jalé con fuerza y... nada. Ese *Don Quijote*, ese tomo grueso de cuero repujado con ilustraciones de Doré, ¡es imposible que no salga! Hice palanca con mi cuerpo, enrojecí, se me rompió la uña del índice hasta que en una brusca revelación, me di cuenta de que toda esa hermosa pared de madera y cuero, esos anaqueles que subían hasta el techo eran un *trompe l'oeil*. Los libros no tenían más de cinco centímetros de profundidad, los títulos dorados a la altura de mis ojos, el *Memorial de Ste. Hélene*, la *Histoire de Paris*, los tomos de cuero, rojos y calientes, no tenían cuerpo, ni papel, ni letra. Estaban tan cerca de mis ojos, que sentí su mirada como un golpe. Fui hacia el escritorio y junto a las cajitas de rapé, los tinteros de plata inglesa, los pisapapeles que no pisaban nada, vi otros tomos: Jacques de Bainville, Belloc, D'Alembert, la princesa Bibesco. Estiré la mano, con miedo. ¿Y si también están huecos? Se me vinieron de cuerpo entero, abriéndose, todas sus letras redondas y un tanto regordetas sobre mi pecho, acariciándolo. El papel de Holanda también era una caricia entre la yema de los dedos. Iba a comenzar un Chesterton, pero tuve la sensación muy clara de que alguien había entrado y me miraba. Sentí planear encima de mí el aliento de un nuevo imperio. Cuando levanté la vista, entraron tras de él dos camareros de librea con candeleros que echaban sendos círculos de luz. La puerta por la que había entrado —casi pegada al techo— dejaba un hueco blanco entre los libros. Nunca hubiera yo imaginado que allí se encontraba un pasadizo, una comunicación secreta, pero desde muy joven, Alex se especializó en *trompe-l'oeil*, en *faux plafonds*, en maletas de doble fondo, en disfraces, en *loups* negros y en lunares; siempre habló con fruición de los canales misteriosos por los que podía arrastrarse un cuerpo humano en las entrañas de París, los sótanos de la Ópera, el imaginario túnel entre la Bastilla y Le Temple. Desde niño le atrajeron las entretelas, las

bambalinas, lo que está detrás, el instante en que las enaguas
se levantan. Lo sentí pesar sobre mí como un águila, dispuesto
a dejarse caer sobre su presa. El halo de luz seguía temblando en
el techo. Alex siempre tuvo afición por las entradas teatrales,
"je sais faire mes entrées" sentenciaba, pero ahora miraba sus
pies, interrogándolos. La fijeza de su actitud me estremeció. Los
dos camareros depositaron sus candeleros en dos mesas y uno de
ellos tomó a Alex entre sus brazos. El otro extrajo de la oscuridad un objeto metálico; por pudor, hubiera querido no ver todo
aquello, pero los camareros eran más rápidos que cualquier intención. Abajo, sin más, lo sentaron en la silla de ruedas. Aún
era hermoso, a pesar de la palidez cadavérica de su rostro. Las
llamaradas de las velas alcanzaron entonces una luminosidad
de fogata, danzaban sobre el brocado de los muros agigantando
su trama, parecían querer descifrar el dibujo misterioso del tejido, traducirlo, darle un color palpitante, inesperado; nunca fue
tan bella la biblioteca como en ese instante.

—No mires mis ojos —dijo él en un tono imperioso.

Vi uno de sus ojillos brillar entre las arrugas. El párpado izquierdo colgaba.

—Tuve una ligera hemiplejia —dijo a media voz, como si se
diera esta explicación a sí mismo y le satisficiera ampliamente.
Se quedó inmóvil ante mí y me dio la impresión de estar escu-
chando algo que sólo él podía oír.

—¿He cambiado mucho?

—¡Oh, no!

—Claro que he cambiado. Todos cambiamos.

Me lo dijo con desprecio y sentí vergüenza.

—Ahora, vamos a cenar.

Ante mi falta de reacción, ordenó como si concediera una
gracia suprema.

—Puedes empujar mi silla.

Miré su espalda tiesa y altanera. Alguien lo había peinado
emplastándole el pelo por partes, de modo que, en otras, se veía
su cuero cabelludo, terriblemente rosado y desnudo. Además,
sobre el cuello del traje azul oscuro brillaban tres minúsculos
copos de caspa. "Pobre Alex, antes siempre tan pulcro." "¿Qué
esperas?" El maitre tomó mi lugar detrás de la silla y la guió
hasta el comedor. Yo no hubiera podido. Los candelabros iban
precediéndonos con su luz nimia y flotante sobre los cristales,
los espejos biselados, los candiles venecianos. Eran duendes o
luciérnagas que se perdían en estas piezas de techos altísimos,

sobrecargados de molduras y de cortinajes. Las llamitas echaban su oscuridad luminosa sobre los oros y los violetas.

—Yo estoy a dieta, pero tú comerás como de costumbre.

Frente a su lugar en la cabecera, no había asiento, el maitre, simplemente, empujó la silla de ruedas. En un abrir y cerrar de ojos le sirvió una copa de vino tinto. Alex la levantó ante la llama para verificar su color, luego la apuró de un sorbo y volvió a dejar la copa sobre la mesa.

—Tengo derecho a tomar vino.

—¡Ah!

—¿Sabías que Valembrose perdió un ojo?

—No.

Emitió una risita seca, casi como un ladrido y tuve que desviar la vista. El maitre lo servía. Levantaba frente a él una campana de vermeil y sobre el plato apareció el clásico pollo hervido cortado en pedacitos, la verdura lacia, cocida en agua. Empezó a comer con voracidad, sin esperarme y entonces me di cuenta que sólo podía usar un brazo; el otro permanecía doblado sobre sus rodillas. Alex se mojaba el mentón insensible, esparcía su comida en el plato, se picó dos veces los labios al llevarse la cuchara a la boca y jamás usó la servilleta desdoblada sobre sus muslos. Es extraña la rapidez con que se olvidan los buenos modales. Me anticipé al deleite del soufflé, su consistencia era ligera, espumosa. No tenía sal. Me sirvieron el segundo plato. Su presentación seguía siendo magnífica, pero era igualmente insípido. La salsa grasienta olía mal. El maitre, impávido, con las cejas siempre alzadas daba la orden a los mozos que servían con expresión de inocentes. Podían serlo. En la cocina, los domésticos suelen comer distinto a los amos. Cada platillo era peor que el anterior. Una mousse de langosta mostró francos síntomas de descomposición. No es posible, lo han hecho a propósito, tomaré pan con mantequilla. Retrocedí. Un filo de polvo gris rodeaba el platito de la mantequilla. En el rostro del maitre no pude detectar el menor asomo de ironía. Nos atendía como en las épocas pasadas; con el mismo gesto espléndido destapaba las campanas como si fuera a ofrecer los más suculentos manjares. Le eché una ojeada al menú, después de la pausa del *sorbet à l'orange* venía el *chaudfroid de volaille*. Sentí terror. Al día siguiente me sobrevino un malestar tremendo ante los quesos agusanados, los dulces ya petrificados, duros como el castillo, imposibles de cortar; dulces en los que se han fosilizado todos los tumores, amasado hasta la última amargura de los años transcurridos *en el servicio*. A la hora del desayuno comprobaría la sospechosa consistencia de una mermelada fermentada dentro del frasco de cristal cortado; y sobre la charola puesta encima de mi vientre, dentro de la vajilla de Compagnie des Indes, descubriría despojos disfrazados, porquerías envueltas en encajes, la miasma proveniente del pantano de la cocina.

Cuando nos levantamos sentí alivio. El café se sirvió en el saloncito de la colección de jades. Alex volvió a advertir.

—Me dan permiso de tomar café.

—¡Qué bueno!

—¿Por qué dices qué bueno?

Me miró con suspicacia.

—Porque me da alegría que no te priven del café.

—¡No me han privado de nada! A mí nadie me priva de nada, nunca.

—Sí, sí, lo sé.

—Pues que no se te vaya olvidando. ¡Nadie, nunca!

—Lo sé, lo sé.

—No, no sabes nada. ¿Sabes quiénes estaban en el entierro de Dufreny?

—No fui al entierro de Dufreny.

Creí que gritaría de nuevo, pero se perdió en sus propias reflexiones. Así como había tomado el vino de un sorbo, tomó el café derramándolo un poco sobre la barba insensible.

—Sólo una taza.

Guardé silencio. Ni siquiera podía oír la respiración del maitre —el doble de Alex—, que jamás dejaba traslucir el menor sentimiento. Seguíamos en la penumbra. Antes, las mujeres se quejaban de que Alex ¡qué horror! les echaba encima luces despiadadas y que ningún castillo en Francia estaba tan profusamente iluminado como el suyo. Pero ahora sólo temblaba la luz incierta de las velas.

—¿Qué Chanel traes?

—No traigo ningún Chanel, es un vestidito negro.

—¡Bah!

(Recordé su entusiasmo: "Chanel conoce todas las artes de la estrategia de St. Cyr; le ha puesto galones a la mujer, su nombre debe estar bajo el Arco de Triunfo al lado de los mariscales de Francia". Entonces tamborileaba, marcial, e iniciaba una marcha militar con una fanfarria de trompetas imaginarias que hacía reír a sus espectadores.)

—Vamos al teatro.

77

Hice un ademán de sorpresa, pero reprimí cualquier comentario. El teatro estaba en el ala izquierda del castillo, había que caminar más de seiscientos metros. Ya el maitre hacía girar la silla y extendía un *plaid* escocés sobre las piernas de Alex. No lo puso del lado de los cuadros, sino del negro. Nadie me preguntó si tenía frío, si deseaba ir a mis habitaciones a recoger algo con qué cubrirme, nada, en el fondo la atención verdadera no existía ya en el castillo; ¿habría existido alguna vez o eran sólo las formas, el frágil envoltorio de las buenas maneras? Preferí no pensar, atribuirlo todo a la indiferencia del neurótico que nada puede ver fuera de su enfermedad. Emprendimos el viaje por corredores larguísimos recubiertos de espejos que los duplicaban, triplicaban, quintuplicaban hasta que empecé a flotar; los espejos se reflejaban los unos a los otros, se tallaban esmerilándose, arista contra arista; sólo un joyero hubiera tolerado estos fulgores entrecruzados e inclementes y desapacibles. Busqué los ventanales y a través de ellos no pude ver más que la noche. Tuve que volver a los espejos. Siempre hay un espejo en el fondo del pasillo donde caminan los hombres. Las guirnaldas de estuco y las molduras seguían acompañándonos. Pasamos frente a los enormes Caravaggios, los Und der Kuyter, los Fragonnard, los Nattier y por fin llegamos a la Galería de los Espejos, igual a la de Versalles. Los pisos eran de miel, la madera se fundía dulce, cálida, crepitaba; los prismas se habían ampliado y el agua ya no estaba congelada en figuras geométricas, cuadriláteros, isósceles, octaedros, sino que fluía como un río en un solo sentido; el piso bruscamente se volvió de mármol blanco y negro, atravesamos la vereda y sentí frío. También los espejos eran gélidos y reflejaron nuestras figuras pequeñas y huidizas. Oía el girar de las ruedas de la silla para inválidos sobre el suelo, pero nadie más que yo parecía oírlo. Afuera, percibí el olor de unas rosas y pensé que debían orientarse hacia mí, simplemente porque creo en las flores. Debieron señalarme entre sí, avisarles a las miles de flores que había yo visto acudir al borde de la carretera desde mi salida de París; todas las corolas vueltas hacia mí, corrientes enteras de flores que fluyen en el espacio. Sentí que me crecían flores en la cabeza y hasta efectué un pequeño cambio de paso tras de la silla del inválido y su conductor de yeso.

Dos camareros surgieron en la sombra y escoltados por ellos penetramos en el teatro. Me sobrecogió. Era un estuche acojinado, forrado de una piel opulenta dotada de luz propia, con texturas de fuego, jaspeada como la de un animal recién nacido y todavía fresco, de pura sangre; de él se desprendía una magia pesada y secreta, oriental y al mismo tiempo infantil. Nos esperaba como un juguete que abre los brazos, un osito de peluche, confiado y sonrosado por la emoción, pero un osito que huele a sándalo, a almizcle, a planta, a materia orgánica. De todo el castillo, el único lugar intocado era este teatrito; pulido, albeante, alhaja demasiado fina para dejarla caer en el abandono. Yo hubiera podido rodar en el afelpamiento de sus pasillos rojos en la redondez abullonada de todos sus palcos, rodar de pura exaltación, como una piel mullida, un vello humano tierno y oloroso. Hubiera querido arrellanarme en cada butaca maravillosamente dulce y hospitalaria para el tacto. Resonaron las voces de Marie Bell, de Louis Jouvet, de Gerard Philippe, de Simone Valère, de Jean Louis Dessailly, porque en otros tiempos, cuando Alex era en Francia el primer constructor de cosas bellas, se habían dado obras de Marivaux, de Molière, de Lope, de García Lorca. Grandes actores se desplazaron, honrados por la sola invitación de Alex, para presentar *Britannicus* o *L'avare,* o *Les fourberies* de Scapin o *Le malade imaginaire*, trayendo en sus baúles pelucas blancas y corpiños ajustables, sedas y armiños, impertinentes y grandes sombreros de pluma, zapatillas de raso y diminutos lunares de terciopelo; ¡un camión repleto de utilería para una salita en la que apenas cabían cincuenta espectadores! ¡Qué maravilla, Dios mío! En realidad lo que llamamos vivir no es más que un acto de la imaginación. Un brusco, un loco sentimiento de felicidad, una loca alegría me invadió; la sangre me hervía, no, un líquido abrasivo subía por mis venas inflamándolas. Este teatrito era un acto de poesía pura, era las Mil y Una Noches, era la copa de cristal en la gruta enmohecida, esto sí era la realidad heráldica de una vida de poeta. Porque Alex no podía ser más que un poeta. Lo miré con una admiración desmedida. Hasta su enfermedad adquiría ahora nobleza. "Este viejo es grande. No explica sus estados de ánimo, no incrimina a la vida, no se ha quejado una sola vez, no exhibe sus llagas como un mendigo para atraer la compasión. No habla. Y éste, su teatrito, es tan altivo, ¡tan dueño de sí como él!" No pude contenerme y acaricié los drapeados, el dorso de la silla perfecta, el bronce pulido de las manijas, las bigoteras. Tras de nosotros cerraron las puertas, me sentí perla preciosa, apagaron las luces. Contuve el aliento. ¿Qué obra presentarían? Yo no había percibido un solo movimiento en todo el castillo. ¡Qué delicada discreción la de los actores! ¡Y qué elegancia la de Alex al mantener este secreto, que obviamente me estaba destinado! Se abrió el telón sobre una pantalla blanca y al mismo tiempo, tras de nosotros, en el palco donde estábamos sentados, únicos espectadores, únicos testigos del privilegio, empezó el bisbiseo del proyector cinematográfico. Vi la señal, un ojo amarillo y redondo como el de un loro atento en la oscuridad. Comenzó la película; escuché en lo negro el pespuntear del aparato; la invisible máquina de coser que iba agujereando una tela inexistente. Los titulares de la película y luego Gina Lollobrigida, campesina joven, robusta al estilo de *Pane, amore e gelosia*. Todo era banal e inútil hasta que noté que la imagen se detenía mucho más de la cuenta en un gran *close-up* de los pechos de la Lolo, enormes sandías atrincheradas en la blusa a punto de ceder. Los pechos estaban allí devorando la pantalla y el aparato seguía pespunteando el espacio. Tacatacatacatacatacatacatacataca. Ahora parecía el tableteo de una ametralladora minúscula. ¿Qué diablos está sucediendo? No había teatro, ni actores, esta función imbécil nada tenía que ver conmigo. Busqué a Alex con la mirada. Uno de los ojos que me había pedido que no viera estaba muy abierto y el otro luchaba contra el párpado caído; la boca abierta, blanda como molusco pendía, el labio inferior desgajado. La blancura lechosa de los pechos en la pantalla nos iluminaba a los dos y vi que Alex adelantaba el cuello y con toda la fuerza de su rostro erecto penetraba en los dos montículos que se le ofrecían. Después volvió a sumirse en la silla de ruedas, exhausto y su barba se perdió en el cuello de su camisa. A los pocos instantes ascendió su respiración sonora. Su cabeza lastimera pendía de lado sobre su hombro. Un cabello blanco, triste y cansado se alargaba sobre la solapa de su traje. La cobija había resbalado de sus piernas despatarradas. El maitre, sin cubrirlo siquiera, hizo girar la silla. Por primera vez dijo al aire: "Todas las noches ve esta misma película y todas las noches el señor se retira a esta hora". Oí el abrir y cerrar de los batientes del palco; parecían bostezos. Entonces me llevé las manos a los oídos para no escuchar el sonido atroz de las ruedas de la silla sobre el mármol de la veranda que el maitre debía conducir, como un estorbo del cual pronto se libraría.

El recado

Vine, Martín, y no estás. Me he sentado en el peldaño de tu casa, recargada en tu puerta y pienso que en algún lugar de la ciudad, por una onda que cruza el aire, debes intuir que aquí estoy. Es éste tu pedacito de jardín; tu mimosa se inclina hacia afuera y los niños al pasar le arrancan las ramas más accesibles... En la tierra, sembradas alrededor del muro, muy rectilíneas y serias veo unas flores que tienen hojas como espadas. Son azul marino, parecen soldados. Son muy graves, muy derechas. Tú también eres un soldado. Marchas por la vida, uno, dos, uno, dos... Todo tu jardín es sólido, es como tú, tiene una reciedumbre que inspira confianza.

Aquí estoy contra el muro de tu casa, así como estoy a veces contra el muro de tu espalda. El sol da también contra el vidrio de tu ventana y poco a poco se debilita porque ya es tarde. El cielo enrojecido ha calentado tu madreselva y su olor se vuelve aún más penetrante. Es el atardecer. El día va a decaer. Tu vecina pasa. No sé si me habrá visto. Va a regar su pedazo de jardín. Recuerdo que ella te trae una sopa de pasta cuando estás enfermo y que su hija te pone inyecciones... Pienso en ti muy despacito, como si te dibujara dentro de mí y quedaras allí grabado. Quisiera tener la certeza de que te voy a ver mañana y pasado mañana y siempre en una cadena ininterrumpida de días; que podré mirarte lentamente aunque ya me sé cada rinconcito de tu rostro; que nada entre nosotros ha sido provisional o un accidente.

Estoy inclinada ante una hoja de papel y te escribo todo esto y pienso que ahora, en alguna cuadra donde camines apresurado, decidido como sueles hacerlo, en alguna de esas calles por donde te˙imagino siempre: Donceles y Cinco de Febrero o Venustiano Carranza, en alguna de esas banquetas grises y monocordes rotas sólo por el remolino de gente que va a tomar el camión, has de saber dentro de ti que te espero. Vine nada más a decirte que te quiero y como no estás te lo escribo. Ya casi no puedo escribir porque ya se fue el sol y no sé bien a bien lo que te pongo. Afuera pasan más niños, corriendo. Y una señora con una olla advierte irritada: "No me sacudas la mano porque voy a tirar la leche..." Y dejo este lápiz, Martín, y dejo la hoja rayada y dejo que mis brazos cuelguen inútilmente a lo largo de mi cuerpo y te espero. Pienso que te hubiera querido abrazar. A veces quisiera ser más vieja porque la juventud lleva en sí. la imperiosa, la implacable necesidad de relacionarlo todo al amor.

Ladra un perro; ladra agresivamente. Creo que es hora de irme. Dentro de poco vendrá la vecina a prender la luz de tu casa; ella tiene llave y encenderá el foco de la recámara que da hacia afuera porque en esta colonia asaltan mucho, roban mucho. A los pobres les roban mucho; los pobres se roban entre sí... Sabes, desde mi infancia me he sentado así a esperar, siempre fui dócil, porque te esperaba. Te esperaba a ti. Sé que todas las mujeres aguardan. Aguardan la vida futura, todas esas imágenes forjadas en la soledad, todo ese bosque que camina hacia ellas; toda esa inmensa promesa que es el hombre; una granada que de pronto se abre y muestra sus granos rojos, lustrosos; una granada como una boca pulposa de mil gajos. Más tarde esas horas vividas en la imaginación, hechas horas reales, tendrán que cobrar peso y tamaño y crudeza. Todos estamos —oh mi amor— tan llenos de retratos interiores, tan llenos de paisajes no vividos.

Ha caído la noche y ya casi no veo lo que estoy borroneando en la hoja rayada. Ya no percibo las letras. Allí donde no le entiendas en los espacios blancos, en los huecos, pon: "Te quiero"... No sé si voy a echar esta hoja debajo de la puerta, no sé. Me has dado un tal respeto de ti mismo... Quizá ahora que me vaya, sólo pase a pedirle a la vecina que te dé el recado; que te diga que vine.

Love Story

Teleca no pudo permanecer en la cama:

—Estoy segura de que está platicando en la puerta...

Se asomó por el balcón. La calle vacía se le echó encima.

—Entonces ha de estar encerrada en el baño. Lo hace porque sabe que me molesta.

Gritó con verdadera exacerbación:

—¡Lupe! ¡Lupe! ¡Lupeeeeeeeeee!

Lo malo es que no podía pensar en otra cosa, nada le obsesionaba tanto como su relación con Lupe cuyo chancleo no tardó en oír en la cocina.

—Lupe ¿dónde estaba usted?

—Arriba, señora.

—¿Haciendo qué a estas horas, si me hace favor?

—Bañándome.

El pelo negro escurría en la espalda mojada, la cintura, los riñones, las nalgas, un pelo larguísimo y ahora enredado por la lavada, sostenido por una peineta roja, un manojo pesado como crin de caballo.

—¿No me ha dicho que quiere que me bañe seguido?

—Pero no en horas de servicio.

La bañada la miró y Teleca le vio el árbol rojo del rencor en los ojos.

—Sírvame el desayuno.

—Ajá.

—No se contesta así sino, "sí señora".

—Umjún.

—Diga usted "sí, señora" —casi gritó Teleca.

La mujer permaneció en silencio; luego pareció decidirse:

—Sí, señora.

Teleca salió de la cocina golpeando la puerta. En su recámara no pudo sino dar vueltas, agarrar un objeto y otro, cambiarlo de lugar, extraviarlo, ir y venir junto a la puerta cual león enjau-

83

lado. No hallaba el momento en que podría regresar a la cocina, ver qué estaba haciendo Lupe, mirar su cara pulida como piedra de río, empezar de nuevo, escoger palabras más felices. "Voy a dejar pasar cinco minutos". Fue al baño y se cepilló el pelo con furia. Sonó el teléfono. Agradeció al cielo esta llamada. Lupe tardó en responder, arrastró los pies junto al teléfono y lentamente vino a tocar a la puerta.

—Le hablan.

A Teleca le latió el corazón más aprisa.

—Se dice: "Señora tiene usted una llamada telefónica", y además tardaste mucho en ir a levantar la bocina.

No era eso lo que quería decirle, sino mostrarle una expresión serena, la sonrisa le temblaba sobre los labios, a punto de aflorar y abrirse. Seguían escurriendo gotas de la crin de caballo de Lupe. Teleca la hizo a un lado.

—¿Quién habla? ¡Ah! sí, tú, Arturito. Qué gusto. Estás bien, pues yo así, así, me siento nerviosa, no sé la razón, quizá sean los conflictos caseros, ya ves que esta gente no entiende, por más que quiera uno acercársele, no hay modo; yo al menos no se lo encuentro; sí, sí, sé que hay otros temas de conversación pero qué quieres, ésta es la realidad que estoy viviendo ahora y de ella tengo que hablar. Siquiera que me sirva de desahogo... ¿En Lady Baltimore? ¿A las cinco? Sí, claro, ¡qué bueno! Bye, bye... Gracias.

Teleca caminó hacia la cocina. "¿Cómo es posible que una india patarrajada me tenga así? Pero ¿cómo es posible? ¡No es justo! Es esta soledad que me..."

—Lupe, mi desayuno.

—Sí, señora.

"Al menos me dijo: 'Sí, señora'." Lupe entró con el té, el huevo tibio, el pan tostado, la tacita muy blanca, los cuadritos de azúcar también en una azucarera blanquísima. Ya Teleca había tomado su jugo de naranja.

—Y el periódico ¿no llegó?

—Voy a ver.

—¿No te he dicho que lo primero que debes subir en la mañana es el periódico y acomodarlo junto a mi lugar en la mesa? Ha de estar empapado.

La sirvienta regresó con *El Universal*, su rostro impasible, máscara de sí mismo.

—Lupe, la mermelada. ¿Por qué no pones la mermelada de naranja agria sobre la mesa? La mermelada y la mantequilla.

84

—Es que la señora me lo prohibió hace un mes porque no quería engordar. . .

—Pero ahora ya no estoy a dieta.

—Ta bueno pues.

—No se dice: "Ta bueno pues". ¿Cuántas veces he de repetirte que se dice: "Sí, señora"?

Teleca trató de concentrarse en los encabezados; se dio cuenta que no le interesaban un pepino, nada le interesaba sino Lupe, saber qué pensaba Lupe, seguirla, pararse junto a ella frente al fregadero, mirar sus brazos redondos y macizos, sus brazos, dos manzanos con terminaciones de hojas —qué bonito se arrugaban sus yemas con el remojo—, oír su joven voz, jugosa como sus manos. Secretamente, Lupe debía percibir el dominio que ejercía sobre su patrona, porque fruncía el ceño y paraba la boca en un gesto altanero, malhumoriento. Al terminar el desayuno, Teleca fue a la cocina:

—Voy a bañarme.

Lupe guardó silencio.

—Estás pendiente del teléfono y de la puerta.

—Ajá. . .

Teleca sintió que los nervios se le paraban de punta; hubiera podido alzar la mano en su contra, jalar este manojo mojado que pesaba sobre la espalda india, india, india. Pero también le hubiera gustado verla sonreír, los ojos brillantes, los cachetes relucientes. ¡Cómo espejea la piel morena recién lavada! y preguntarle con la voz cantarina de los primeros tiempos: "¿Quedó todo bien, señora?" Todo bien, todo bien, todo bien. . ." Nada estaba bien. Teleca hizo sus abluciones matinales en función de Lupe, previendo su rostro de la una de la tarde, el gesto o la chispa amigable en el ojo; quizá Lupe sería afable a la hora de la despedida. Imaginó los pormenores: "Ya me voy Lupe, recuerda que hoy no como en casa sino con las Güemes, te lo avisé anoche". "Sí, señora, está bien, voy a aprovechar para limpiar la plata; que le vaya a usted muy bien, señora." En alguna ocasión, Lupe le había dicho: "que le vaya muy bonito" y Teleca todavía lo recordaba con agradecimiento. Lupe era la sirvienta que más le había durado. La soledad hacía que Teleca le diera gran importancia a las horas compartidas, a la otra presencia en la casa. En principio la tuteaba, pero cuando algo la enojaba blandía el usted para marcar las distancias. "Al salir, voy a decirle en forma despreocupada que se lleve el radio a la cocina para que no se aburra" pensó Teleca. "Pero ¿qué me pasa? Le estoy dando demasiada importancia, como si Lupe fuera lo único que tengo en esta vida. Estoy mal de los nervios. ¿Qué pensará Lupe de mí? ¿Me querrá? ¡Qué mujer más cerrada! ¡Es una bola de masa sin ojos!"

Ya sobre el quicio de la puerta, Teleca se acomodó el sombrero y dijo con voz que quería ser alegre:

—¿Lupe? Ya me voy, nos vemos a las cinco.

Sólo le respondió el zumbido de los carros de la avenida Insurgentes. Teleca, entonces, gritó, su voz esta vez menos amable:

—¿Lupe? Ya me voy, me tiene listo el té a las cinco y no me vaya a rayar la plata. Recuerde usted bien el líquido y una franela, nada de zacate y jabón, como lo hizo usted la última vez.

El silencio amplificó las órdenes.

—¿Lupe? ¿Me oyó, Lupe?

—Ta bueno.

Las palabras resonaron fúnebres, provenientes quizá de la cocina o del planchador o del interior de un ropero o sabe diablos dónde, de la negrura espesa en la que se movía la india esa, imbécil, apestosa, yo no sé por qué me preocupo por semejante animal, y Teleca salió con paso decidido. "Me hará bien ver gente como yo y no este afán inútil de tratar de mejorar a quien no tiene remedio." Caminó hacia la casa de las Güemes, su vestido bailó en torno a sus piernas, pero a la primera calle estuvo a punto de regresar. "No le dije que prendiera el radio en la cocina" y se acordó del "Ta bueno" lento, oscuro, lodoso y pensó, según ella pedagógicamente: "Le hará bien. Me extrañará. Seguro que me va a extrañar. Es horrible una casa sola". Se imaginó a sí misma como en años anteriores, sola en su cocina, sin nadie a quién enseñarle buenas maneras, preparando el té, pendiente del agua a punto de hervir estrepitosamente en el pocillo, al acecho de los timbres, dispuesta entablar conversación con quien tocara, el primer vendedor ambulante, el repartidor de periódicos; sí, sí, como cualquier gata de barrio. Recordó las advertencias que se apuntaba a sí misma con su letra puntiaguda de alumna del Sagrado Corazón y pegaba muy a la vista, en la cocina, en el corredor, no tanto porque las necesitara cuanto para hacerse compañía: "Favor de cerrar la puerta", "no olvidar el gas", "verificar las llaves antes de salir", "el pago de la luz se hace los primeros viernes de cada mes", "todo esfuerzo es ya un éxito". Y en grandes letras los números que la comunicaban con el exterior. Teleca estuvo a punto de gritar, la angustia oprimiéndole el pecho: "Socorro, me ahogo", o de correr como corría ahora hacia la casa de las Güemes, donde entró sofocada, pajareando cual gorrión que se refugia en lo más alto del techo. "¿Qué tal? ¿Qué tal? ¡Se ven muy bonitas ahí sentadas!" Las Güemes levantaron los ojos sorprendidos ante el revoloteo de su amiga. ¡Mentira, qué bonitas ni qué bonitas, si sólo les faltaba la escoba! Lo primero que pidió Teleca fue el teléfono:

—Es que se me olvidó darle un recado a Lupe.

—Tenemos *soufflé* para empezar, Telequita, no tardes.

—¡Qué rico! ¡Ah, qué rico! Con el hambre que traigo, no, no tardo.

Descolgó la bocina. Un timbre sonó, se alargó en el aire señal sin respuesta. ¿Cuánto tardaría en contestar esta india floja? Teleca volvió a marcar nerviosamente. La tercera fue la buena.

—¿Lupe?

—Ajá.

—No te he dicho que... Bueno, mira, limpia también el trofeo de polo de mi papá que hace mucho que no lo haces y se ve muy mal.

—¿El qué?

—El trofeo de polo.

—¿El qué?

—¿Qué no me entiendes? El trofeo de polo, la copota esa alta de plata que tiene asas en forma de cisne... Se me olvidó decírtelo.

—¿La copa más grande de la sala?

—Sí, esa misma, Lupe (estaba por decirle Lupita, pero se contuvo).

—No sé si me alcance el líquido.

—¿Por qué no compraste?

—No me dejó usted.

Hubiera querido seguir la plática con Lupe durante horas pero ya las Güemes clamaban: "Teleca, Teleca". Cuán dulce era hablarle a Lupe a través de esta bocina que se amoldaba a su mano sin ver su rostro hosco, pétreo, casi impenetrable. Teleca acostumbraba llamar a su casa para dar alguna indicación, cerciorarse de que Lupe estaba ahí. Insistía e insistía hasta encontrarla y entonces recriminarla: "¿Dónde te fuiste? ¿Quién te dio permiso de salir? ¡No eres una niña para andar dejando la casa sola! ¡Por eso, ustedes (se dirigía a una inmensa caravana de criadas, una pléyade de mujeres de trenza y delantal que avanzaban hacia ella en el desierto) están como están, por eso, porque son irresponsables, malhechas, tontas, porque no tienen ambición ni amor propio, ni quieren salir de su letargo!" Recordó que a Lupe nunca se le movía un solo músculo de la cara.

—Oye, Lupe, si llama el señor Arturito le dices que me fui a comer a la casa de las Güemes...

—¿No habló usted con él en la mañana?

—Sí, pero se me olvidó decírselo.

—¡Ah! —dijo desconfiada Lupe.

—¿Abriste la ventana del baño? Tienes que asolear las toallas antes de que llueva, siempre se te olvida.

Teleca odió a las Güemes por interrumpir su diálogo, pero no pudo sino plegarse: "Bueno, te llamo más tarde para ver qué se ha ofrecido", oyó un murmullo parecido al "ajá" y el clic del interruptor. "Pelada, mugrosa, colgó antes que yo, ni siquiera me dejó decirle adiós. Pero me la va a pagar, la llamo después del café."

Los obsesos tiene el raro poder de atraer a todos al centro de la espiral, aprietan cada vez más fuerte, van cerrando a cada vuelta hasta convertir el círculo en un solo punto que taladra. En la mesa, Teleca hizo que la conversación se centrara en las sirvientas, claro, en francés, para que no entendiera la buena de Josefina.

—¿Por qué serán tan tontos los criados?

—Porque si no lo fueran no serían criados.

—Es que esta raza es de animales. En Francia, en Inglaterra, en España, los domésticos son de otra especie. Saben tratarlo a uno, se dan cuenta de con quién están hablando, son responsables, su nivel es otro, pero estas bestias que no tienen... que no tienen ni un petate en qué caerse muertos ni siquiera agradecen el bien que se les hace.

—Yo creo que es el sol, que de tanto pegarles en la cara los ha dejado insolados.

—O la Conquista.

—Sí, con la Conquista lo perdieron todo, hasta la vergüenza.

—Es la raza, definitivamente les falta materia gris.

Teleca habló sin parar hasta el café. Era su manera de estar cerca de Lupe, girar en torno a ella, convocarla. Una de las Güemes, gorda y afable, propuso para cortar la avalancha:

—¿Por qué no jugamos inmediatamente una partidita de bridge? Llevaremos nuestras tazas a la mesa.

Asintieron. A las cinco, Teleca gritó:

—Tengo cita con Arturito en Lady Baltimore. ¡Qué bárbara!

Nunca voy a llegar. De haberlo pensado no la hago para hoy, qué imprudencia sabiendo que venía a comer con ustedes.

En realidad, lo que la molestaba era no llamar a Lupe. Ahora ya no podría hacerlo, a qué horas, dónde, ni modo de dejar solo a Arturito en su mesa del salón de té.

—Lástima que no esté el chofer, si no él te iría a dejar, Teleca.

—No importa, me encantan los taxistas.

Frente al té, Arturito se lanzó en una larga disertación sobre la Conquista, según Bernal Díaz del Castillo, tomando como punto de partida los comentarios de Teleca. No era eso lo que ella buscaba. Nadie le daba lo que ella buscaba, nadie, sólo Lupe. Ojalá y Arturito terminara para poder irse, pero Arturito, aficionado a la historia, había amenazado revisar hasta la ley de segregación racial norteamericana. Teleca sintió que le dolía el estómago. Arturito estiró el brazo hacia el collar de Teleca:

—Mira, este ámbar que cuelga de tu cadena, tiene el valor de diez esclavos.

—¿Por el gusano que tiene adentro?

—Por eso mismo, quizá por ese gusano el valor sea de quince esclavos.

—¡Ay, Arturito, ya vámonos!

Y, sin esperarlo, en forma descarada, Teleca se levantó de su asiento. Había en Teleca algo de muchacho atrabancado que desconcertaba y atraía a Arturo. Su modo de subir la escalera de dos en dos, sus piernas largas y delgadas que más que caminar, galopaban; su ausencia de caderas, sus ojos fijos color de té, ¿qué no le enseñarían de niña que no se mira así a la gente? Su sonrisa francota, de oreja a oreja, que enseñaba unos dientes macizos, blancos, fuertes como granos de maíz expuestos al sol y al viento. Teleca, además, guiñaba un ojo. "Me sale natural", respondía cuando la admonestaban.

—Tengo cita en Lucerna, para jugar bridge; puedo dejarte en el taxi a la pasada, Teleca.

—Gracias Arturito. ¿Juegas con Novo y con Villaurrutia? ¿Quién es el cuarto?

—Torres Bodet. ¿No has leído aún *Les faux monnayeurs*?

—Te dije que estoy muy nerviosa, no puedo concentrarme.

—Si lo leyeras, se te olvidarían tus nervios. Mira —dijo Arturito, asomándose a la ventanilla—, ya es de noche. En México oscurece de golpe. O no sucede nada y el tedio nos asfixia como una cobija o sobreviene un cataclismo y todo se acaba. Qué país,

¡Dios mío!

—Es tu país...

Arturito sonrió burlón. "Qué contradictoria eres, Teleca. Y qué mal te sienta este patrioterismo, tú que sólo hablas de irte a España."

—Pero mientras tanto, defiendo lo oscuro.

—¿Los agujeros negros?

Teleca no respondió. Se sentía extrañamente solidaria de Lupe. Podía patearla, pero frente a otros, protegía con pasión cualquier cosa que estuviera ligada al indio; la tierra, los bosques, el frijol, el maíz, las piedras calientes.

—Mira, ni siquiera se le ha ocurrido prender la luz del zaguán.

Arturito bajó del automóvil y extendió su mano, una mano suave de uñas de rosa muy fuerte, finas y delgadas, parecidas a las de un recién nacido. Se inclinó por completo para besar el guante de Teleca.

—Telequita linda.

—¡Ha dejado la calle a oscuras!

Arturito hizo bailar sus uñas como cocuyos.

—Luz, más luz.

—Por favor, Arturito, comprende. A ti todo te lo resuelve tu mamá, ni siquiera te enteras de cuán difícil es tratar a esta gente.

Los labios también rosa de Arturito se curvaron en una mueca de fastidio. Sonrió y se adelgazaron hasta volverse crueles. Sin embargo, en su estado natural eran labios llenos; se paraban casi de tan llenos.

—Telequita, ponte a leer; mañana te hablo porque me interesa tu opinión.

Bruscamente, Teleca metió su llave en la puerta. Alcanzó a ver a Arturito darle un pequeño golpe en el hombro al chofer con el puño de su bastón, y el coche arrancó.

Teleca subió la escalera a zancadas. "¡Lupe! ¡Lupe! ¿No se ha ofrecido nada?" Siguió hasta el segundo piso. "Lupe!" Pasó por el planchador, la cocina. "¿Dónde se habrá metido esta india? Ha de estar roncando en su cuarto." "¡Lupe! ¿no me han hablado?" Se detuvo en el rellano de la escalera de servicio: "¡Lupe! ¡Lupeeeeeeeeeee!" Teleca nunca entraba a su cuarto en la azotea. Era una de sus normas. "Quizá esté en la biblioteca encerando los muebles, lo dudo pero en fin..." Se dirigió hacia ella con verdadera esperanza. Los libreros brillaron en cuanto abrió y Teleca siguió con la mirada el rayo de luz; en la oscuridad adquirían entonaciones de un Vermeer, algunas aristas pendían del aire, cortándolo, sus filos relumbraban, la redondez del brazo de un sillón se aclaró en la negrura, sedoso, eléctrico como el lomo de un gato que se encorva. El tiempo pule, el tiempo derrite, el tiempo moldea. "Huele a encerrado. No sólo no está aquí, sino que hace mucho que ni se asoma como se lo he ordenado. Qué cochina mujer". Subió de nuevo la escalera. "Lupe, Lupe", pasó volada por las habitaciones, "Lupe". De nuevo se colocó bajo la escalera de servicio y gritó protegiendo con las dos manos su llamado: "¡Lupe!" Nunca había tardado tanto en responder. "¡Vieja repugnante. India abusiva!" Por fin, Teleca se resolvió a subir. Sus tacones se atoraban en los peldaños de fierro, pisaba casi en el vacío. Arriba oyó el gotear de un tinaco. No había sábanas en el tendedero. Entró al cuarto de golpe, ni siquiera tenía picaporte. El olor a pies, a sudor y a encierro, la tomó por asalto, y le hizo abrir la boca buscando su respiración. El cuarto estaba vacío. Teleca, entonces, intentó tranquilizarse:

—Ha de haber ido por el pan... Pero, ¿a esta hora? Nunca, nunca va a esta hora. Además, tiene prohibido dejar la casa sola. La voy a correr, eso es, su presencia me hace daño.

Recorrió el cuarto desnudo. Buscó las cajas de cartón en que Lupe había traído sus cosas. Nada. Abrió el ropero, nada. El aire azotó la ventana sin cortinas. Teleca, entonces, tuvo que rendirse ante la evidencia. "Se ha ido." Bajó la escalera sin darse cuenta de lo que estaba haciendo y fue directamente a su cuarto. La llave, sí, la llave. No, no se llevó nada. Ahí están las joyas. Aguardó unos minutos a la mitad de la recámara, los brazos colgantes, sin saber que hacer. No se oía un solo ruido en la casa. Teleca se dejó caer a los pies del miedo, exaltada por las carreras, por la emoción, trató de darse valor: "Bueno, menos mal. De todos modos tenía pensado despedirla. Siempre estaba desaprobándome. Me evitó un coraje. Ya me había aburrido de su nariz aplastada... Traidora. No hay bien que por mal no venga o ¿cómo es ese dicho? Traidora. Es lo mejor que podía suceder".

Empezó por quitarse el sombrero, prender las lámparas de cabecera, correr las cortinas una a una. Se esparció una luz rosada. Las casas de los ricos siempre dan una luz rosada. Casi eufórica fue a la cocina a buscar su jarra de agua para la noche, su vaso. "Ahora sí voy a leer *Les faux monnayeurs*. De todos modos no pensaba cenar, así es de que ¿qué puede importarme?" Fue y vino, se paseó por la sala, atravesó el comedor, sus tacones resonaban como castañuelas, arriba, izquierda, derecha, vuelta. "Parezco maestra de danza española", se dijo a sí misma con cariño. Sacó los dos jarrones de flores al corredor. "Cochina, el agua está verde, ni siquiera la cambió. ¡Lupe! ¡Lupe! Pero qué loca soy, qué favor me ha hecho con largarse, sí, sí, largarse como dicen ellas aunque suene tan feo." Colgó su abrigo o al menos eso intentó frente al ropero. "Lupe ¿dónde están todos los ganchos? Falta el de madera de mi abrigo. . . De plano deliro, estoy desvariando, todo el tiempo le hablo mentalmente a esta miserable, mañana me vestiré de rojo laca, es el color que mejor me sienta. ¿Me habrá boleado los zapatos esta mensa? ¡Lupe! ¡Lupe!" Agotada, Teleca se desplomó en la alfombra y puso la cara en sus manos. Sólo entonces sintió sus mejillas mojadas. No era posible que todo este tiempo hubiera estado llorando. Reprimió un sollozo. "¡Lupita! Lo mejor que puedo hacer es acostarme, tomar un tranquilizante, mañana buscaré a otra gente." Teleca solía olvidar que tenía cuerpo —era tan leve—, pero ahora le ardía, resonaba, amplificaba todos los ruidos en su interior. Teleca estiró los brazos para jalar hacia abajo la hermosa, la pesada colcha de damasco que había sido de la cama de sus padres; lo hizo lenta, cuidadosamente y de golpe, ahí sobre el lino blanquísimo, a la altura de la A y la S bordadas a mano, entrelazadas bajo el escudo de familia, vio el excremento, una enorme cagada que se extendía en círculos concéntricos, en un aterrador arcoiris, verde, café, verdoso, amarillento, cenizo, caliente.

En medio del silencio, comenzó a subir la peste.

Años más tarde, cuando Teleca se lo contó a Arturito —nunca se había atrevido a decírselo a nadie—, Arturo le dijo que no era posible, que los indios no eran escatológicos ni vulgares, que tompoco eran procolálicos, que jamás harían algo semejante; no cabía la menor duda, no estaba dentro de sus patrones de conducta, cualquier antropólogo, cualquier estudioso de los rasgos indígenas podría confirmárselo. Quizá Lupe dejó subir a algún repartidor, un pobre diablo que la ciudad había encanallado, un borracho, y entre los dos idearon esta maldad que después de todo, viéndolo con imparcialidad podría considerarse infantil, pero Teleca, gruñona, fruncida, terca, encogida sobre sí misma insistió:

—No, no, no. Era de Lupe.

La casita de sololoi

—Magda, Magda, ven acá.

Oyó las risas infantiles en la sala y se asomó por la escalera.

—Magda, ¿no te estoy hablando?

Aumentaron las risas burlonas o al menos así las escuchó.

—Madga, ¡sube inmediatamente!

"Salieron a la calle —pensó— esto sí que ya es demasiado" y descendió de cuatro en cuatro la escalera, cepillo en mano. En el jardín las niñas seguían correteándose como si nada, el pelo de Magda volaba casi transparente a la luz del primer sol de la mañana, un papalote tras de ella, eso es lo que era, un papalote leve, quebradizo. Gloria, en cambio, con sus chinos cortos y casi pegados al cráneo parecía un muchacho y Alicia nada tenía del país de las maravillas: sólo llevaba puesto el pantalón de su pijama, arrugadísimo, entre las piernas y seguramente oliendo a orines. Y descalza, claro, como era de esperarse.

—¿Qué no entienden? Me tienen harta.

Se les aventó encima. Las niñas se desbandaron, la esquivaban entre gritos. Laura, fuera de sí, alcanzó a la del pelo largo y delgado y con una mano férrea prendida a su brazo la condujo de regreso a la casa y la obligó a subir la escalera.

—¡Me estás lastimando!

—Y ¿tú crees que a mí no me duelen todas tus desobediencias? —En el baño la sentó de lado sobre el excusado. El pelo pendía lastimero sobre los hombros de la niña. Empezó a cepillarlo.

—¡Mira, nada más, cómo lo tienes de enredado!

A cada jalón, la niña metía la mano, retenía una mecha, impidiendo que la madre prosiguiera, había que trenzarlo, si no, en la tarde estaría hecho una maraña de nudos. Laura cepilló con fuerza: "¡Ay, ay, mamá, ya, me duele!" La madre siguió, la niña empezó a llorar. Laura no veía sino el pelo que se levantaba en cortinas interrumpidas por nudos; tenía que trozarlo para deshacerlos, los cabellos dejaban escapar levísimos quejidos, chirriaban como cuerdas que son atacadas arteramente por el arco, pero Laura seguía embistiendo una y otra vez, la mano asida al cepillo, las cerdas bien abiertas abarcando una gran porción de cabeza, zas, zas, zas, a dale y dale sobre el cuero cabelludo. Ahora sí, en los sollozos de su hija, la madre percibió miedo, un miedo que sacudía los hombros infantiles y picudos. La niña había escondido su cabeza entre sus manos y los cepillazos caían más abajo, en su nuca, sobre sus hombros. En un momento dado pretendió escapar, pero Laura la retuvo con un jalón definitivo, seco, viejo, como un portazo y la niña fue recorrida por un escalofrío. Laura no supo en qué instante la niña volteó a verla y captó su mirada de espanto que la acicateó como una espuela a través de los párpados, un relámpago rojo que hizo caer los cepillazos desde quién sabe dónde, desde todos esos años de trastes sucios y camas por hacer y sillones desfundados, desde el techo descascarado: proyectiles de cerda negra y plástico rosa transparente que se sucedían con una fuerza inexplicable, uno tras otro, a una velocidad que Laura no podía ni quería controlar, uno tras otro zas, zas, zas, zas, ya no llevaba la cuenta, el pelo ya no se levantaba como cortina al viento, la niña se había encorvado totalmente y la madre le pegaba en los hombros, en la espalda, en la cintura. Hasta que su brazo adolorido, como una aspa se quedó en el aire y Laura, sin volverse a ver a su hija, bajó la escalera corriendo y salió a la calle con el brazo todavía en alto, su mano coronada de cerdas de jabalí.

Entonces comprendió que debía irse.

Sólo al echarse a andar, Laura logró doblar el brazo. Un músculo jalaba a otro, todo volvía a su lugar y caminó resueltamente, si estaba fuera de sí no se daba cuenta de ello, apenas si notó que había lágrimas en su rostro y las secó con el dorso de la mano sin soltar el cepillo. No pensaba en su hija, no pensaba en nada. Debido a su estatura sus pasos no eran muy largos; nunca había podido acoplarse al ritmo de su marido cuyos zancos eran para ella desmesurados. Salió de su colonia y se encaminó hacia el césped verde de otros jardines que casi invadían la banqueta protegidos por una precaria barda de juguetería. Las casas, en el centro del césped, se veían blancas, hasta las manijas de la puerta brillaban al sol, cerraduras redondas, pequeños soles a la medida exacta de la mano, el mundo en la mano de los ricos. Al lado de la casa impoluta, una réplica en pequeño con techo rojo de asbestolit: la casa del perro, como en los *House Beautiful, House and Garden, Ladie's Home Journal*; qué casitas tan cuquitas, la mayoría de las ventanas tenían persianas de rendijas verdes de esas que los niños dibujan en sus cuadernos, y las persianas le hicieron pensar en Silvia, en la doble protección de su recámara.

"Pero si por aquí vive." Arreció el paso. En un tiempo no se separaban ni a la hora de dormir puesto que eran *roommates*. Juntas hicieron el *high school* en Estados Unidos. ¡Silvia! Se puso a correr, sí, era por aquí, en esta cuadra, no, en la otra, o quizás allá, al final de la cuadra a la derecha. Qué parecidas eran todas estas casas, con sus garages a un lado, su casita del perro y sus cuadriláteros de césped fresco, fresco como la pausa que refresca. Laura se detuvo frente a una puerta verde oscuro, brillantísima, y sólo en el momento en que le abrieron recordó el cepillo y lo aventó cerdas arriba a la cuneta, al agua que siempre corre a la orilla de las banquetas.

"Yo te había dicho que una vida así no era para ti, una mujer con tu talento, con tu belleza. Bien que me acuerdo cómo te sacabas los primeros lugares en los *essay contests*. Escribías tan bonito. Claro, te veo muy cansada y no es para menos con esa vida de perros que llevas, pero un buen corte de pelo y una mascarilla te harán sentirte como nueva; el azul siempre te ha sentado. Hoy, precisamente, doy una comida y quiero presentarte a mis amigos, les vas a encantar, ¿te acuerdas de Luis Morales? Él me preguntó por ti mucho tiempo después de que te casaste, y va a venir; así es de que tú te quedas aquí; no, no, tú aquí te quedas, lástima que mandé al chofer por las flores, pero puedes tomar un taxi y yo más tarde, cuando me haya vestido, te alcanzaré en el salón de belleza. Cógelo, Laurita, por favor, ¿qué no somos amigas? Laura yo siempre te quise muchísimo y siempre lamenté tu matrimonio con ese imbécil, pero a partir de hoy vas a sentirte otra; anda, Laurita, por primera vez en tu vida haz algo por ti misma, piensa en lo que eres, en lo que han hecho contigo."

Laura se había sentido bien mirando a Silvia al borde de su tina de mármol. Qué joven y lozana se veía dentro del agua y más cuando emergió para secarse exactamente como lo hacía en la escuela, sin ningún pudor, contenta de enseñarle sus músculos alargados, la tersura de su vientre, sus nalgas duras, el triángulo perfecto de su sexo, los nudos equidistantes de su espina dorsal, sus axilas rasuradas, sus piernas morenas a fuerza de sol, sus caderas, eso sí un poquitito más opulentas, pero apenas. Desnuda frente al espejo se cepilló el pelo, sano y brillante. De hecho, todo el baño era un anuncio; enorme, satinado como las hojas del *Vogue*, las cremas aplíquense en pequeños toquecitos con la yema de los dedos en movimientos siempre ascendentes, almendras dulces, conservan la humedad natural de la piel, aroma fresco como el primer día de primavera, los desodorantes en aerosol, sea más adorable para él, el *herbal-essence* verde que contiene toda la frescura de la hierba del campo, de las flores silvestres; los ocho cepillos de la triunfadora, un espejo redondo amplificador del alma, algodones, lociones humectantes, secador-pistola-automática con-tenaza-cepillo-dos peines, todo ello al alcance de la mano, en torno de la alfombra peluda y blanca, osa, armiño, desde la cual Silvia le comunicó: "A veces me seco rodando sobre ella, por jugar y también para sentir". Laura sintió vergüenza al recordar que no se había bañado, pensó en la vellonería enredada de su propio sexo, en sus pechos a la deriva, en la dura corteza de sus talones; pero su amiga, en un torbellino, un sinfín de palabras, verdadero rocío de la mañana, toallitas limpiadoras, suavizantes, la tomó de la mano y la guió a la recámara y siguió girando frente a ella envuelta a la romana en su gran toalla espumosa, suplemento íntimo, benzal para la higiene femenina, cuídese, consiéntase, introdúzcase, lo que sólo nosotras sabemos: las sales, la toalla de mayor absorbencia, lo que sólo nosotras podemos darnos, y Laura vio sobre la cama, una cama anchurosa que sabía mucho de amor, un camisón de suaves abandonos (¡qué cursi, qué ricamente cursi!) y una bata hecha bola, la charola del desayuno, el periódico abierto en la sección de Sociales. Laura nunca había vuelto a desayunar en la cama; es más: la charola yacía arrumbada en el cuarto de los trebejos. Sólo le sirvió a Gloria cuando le dio escarlatina y la cochina mocosa siempre se las arregló para tirar su contenido sobre la sábana. Ahora, al bajar la escalera circular, también joligudense —miel sobre hojuelas— de Silvia, recordaba sus bajadas y subidas por otra, llevándole la charola a Gloria, pesada por toda aquella loza de Valle de Bravo tan estorbosa que ella escogió, en contra de la de melamina y plástico-alta-resistencia, que Beto proponía. ¿Por qué en su casa estaban siempre abiertos los cajones, los roperos también, mostrando ropa colgada quién sabe cómo, zapatos apilados al aventón? En casa de Silvia, todo era etéreo, bajaba del cielo.

En la calle, Laura caminó para encontrar un taxi, atravesó de nuevo su barrio y por primera vez se sintió superior a la gente que pasaba junto a ella. Sin duda alguna, había que irse para triunfar, salir de este agujero, de la monotonía tan espesa como la espesa sopa de habas que tanto le gustaba a Beto. Qué grises y qué inelegantes le parecían todos, qué tristemente presurosos. Se preguntó si podría volver a escribir como lo hacía en el internado, si podría poner todos sus sentimientos en un poema por ejemplo, si el poema sería bueno, sí, lo sería, por desesperado, por original, Silvia siempre le había dicho que ella era eso: o-ri-gi-nal, un buen tinte de pelo haría destacar sus pómulos salientes, sus ojos grises deslavados a punta de calzoncillos, sus labios todavía plenos, los maquillajes hacen milagros. ¿Luis Morales? Pero, claro, Luis Morales tenía una mirada oscura y profunda, oriental seguramente, y Laura se sintió tan suya cuando la tomó del brazo y estiró su mano hacia la de ella para conducirla en medio del sonido de tantas voces —las voces siempre la marearon—, a un rincón apartado, ¡ay, Luis, qué gusto me da!; sí soy yo, al menos pretendo ser la que hace años enamoraste, ¿van a ir en grupo a Las Hadas el próximo *weekend*? Pero, claro que me encantaría, hace años que no veleo, en un barco de velas y a la mar me tiro, adentro y adentro y al agua contigo; sí, Luis, me gusta asolearme, sí, Luis, el daikirí es mi favorito; sí, Luis, en la espalda no alcanzo, ponme tú el *sea-and-ski*, ahora yo a ti, sí, Luis, sí...

Laura pensaba tan ardientemente que no vio los taxis vacíos y se siguió de largo frente al sitio de alquiler indicado por Silvia. Caminó, caminó; sí, podría ser una escritora, el poema estaba casi hecho, su nombre aparecería en los periódicos, tendría su círculo de adeptos y, hoy, en la comida, Silvia se sentiría orgullosa de ella, porque nada de lo de antes se le había olvidado, ni las rosas de talle larguísimo, ni las copas centellantes, ni los ojos que brillan de placer, ni la champaña, ni la espalda de los hombres dentro de sus trajes bien cortados, tan distinta a la espalda enfranelada y gruesa que Beto le daba todas las noches, un minuto antes de desplomarse y dejar escapar el primer ronquido, el estertor, el ruido de vapor que echaba: locomotora vencida que se asienta sobre los rieles al llegar a la estación.

De pronto, Laura vio muchos trenes bajo el puente que estaba cruzando; sí, ella viajaría, seguro viajaría, en *Iberia*, el asiento reclinable, la azafata junto a ella ofreciéndole un whisky, qué rico, qué sed, el avión atravesando el cielo azul como quien rasga una tela, así cortaba ella las camisas de los hijos, el cielo rasgado por el avión en que ella viajaría, el concierto de Aranjuez en sus oídos; España, agua, tierra, fuego, desde los techos de España encalada y negra. En España, los hombres piropean mucho a las mujeres, ¡guapa! qué feo era México y qué pobre y qué oscuro con toda esa hilera de casuchas negras, apiñadas allá en el fondo del abismo, los calzones en el tendedero, toda esa vieja ropa cubriéndose de polvo y hollín y tendida a toda esa porquería de aire que gira en torno a las estaciones de ferrocarril, aire de diesel, enchapopotado, apestoso, qué endebles habitaciones, cuán frágil la vida de los hombres que se revolcaban allá abajo mientras ella se dirigía el *beauty shop* del Hotel María Isabel pero ¿por qué estaba tan endiabladamente lejos el salón de belleza? Hacía mucho que no se veían grandes extensiones de pasto con casas al centro, al contrario: ni árboles había. Laura siguió avanzando, el monedero de Silvia fuertemente apretado en la mano; primero, el cepillo, ahora el monedero. No quiso aceptar una bolsa, se había desacostumbrado, le dijo a su amiga, sí claro, se daba cuenta que sólo las criadas usan monedero, pero el paso del monedero a la bolsa lo daría después, con el nuevo peinado. Por lo pronto, había que ir poco a poco, recuperarse con lentitud, como los enfermos que al entrar en convalecencia dan pasos cautelosos para no caerse. La sed la atenazó y, al ver un Sanborns se metió, al fin: *ladies bar*. En la barra, sin más, pidió un whisky igual al del *Iberia*. Qué sed, sed, saliva, semen; sí, su saliva ahora, seca en su boca, se volvería semen; crearía, al igual que los hombres, igual que Beto, quien por su solo falo y su semen de ostionería se sentía Tarzán, el rey de la creación, Dios, Santa Clos, el señor presidente, quién sabe qué diablos quién. Qué sed, qué sed, debió caminar mucho para tener esa sed y sentir ese cansancio, pero se le quitaría con el champú de cariño, y a la hora de la comida, sería emocionante ir de un grupo a otro, reír, hablar con prestancia del libro de poemas a punto de publicarse. El azul le va muy bien, el azul siempre la ha hecho quererse a sí misma, ¿no decía el siquiatra en ese artículo de *Kena* que el primer indicio de salud mental es empezar a quererse a sí mismo? Silvia le había enseñado sus vestidos azules. El segundo whisky le sonrojó a Laura las mejillas, al tercero descansó y un gringo se sentó junto a ella en la barra y le ofreció la cuarta copa. "Y eso que no estoy peinada", pensó agradecida. En una caballeriza extendió las piernas, para eso era el asiento de enfrente, ¿no? y se arrellanó. "Soy libre, libre de hacer lo que me dé la gana."

Ahora sí el tiempo pasaba con lentitud y ningún pensamiento galopaba dentro de su cabeza. Cuando salió del Sanborns estaba oscureciendo y ya el regente había mandado prender las larguísimas hileras de luz neón del circuito interior. A Laura le dolía el cuerpo y el brazo en alto, varado en el aire llamó al primer taxi, automáticamente dio la dirección de su casa y al bajar le dejó al chofer hasta el último centavo que había en el monedero. "Tome usted también el monedero." Pensó que el chofer se parecía a Luis Morales o a lo que ella recordaba que era Luis Morales. Como siempre, la puerta de la casa estaba emparejada y Laura tropezó con el triciclo de una de las niñas, le parecieron muchos los juguetes esparcidos en la sala, muchos y muy grandes, un campo de juguetes, de caminar entre ellos le llegarían al tobillo. Un olor de tocino invadía la estancia y desde la cocina vio los trastes apilados en el fregadero. Pero lo que más golpeó a Laura fue su retrato de novia parada junto a Beto. Beto tenía unos ojos fríos y ella los miró con frialdad y le respondieron con la misma frialdad. No eran feos, pero había en ellos algo mezquino, la rechazaban y la desafiaban a la vez, sin ninguna pasión, sin afán, sin aliento; eran ojos que no iban a ninguna parte, desde ese sitio podía oír lo que anunciaba Paco Malgesto en la televisión, los panquecitos Bimbo; eran muy delgadas las paredes de la casa, se oía todo y al principio Laura pensó que era una ventaja, porque así sabría siempre dónde andaban los niños. Casi ninguno volvió la cabeza cuando entró al cuarto de la televisión, imantados como estaban por el Chavo del 8. El pelo de Magda pendía lastimero y enredado como siempre, la espalda de Beto se encorvaba abultadísima en los hombros —hay hombres que envejecen allí precisamente, en el cuello, como los bueyes—; Gloria y Alicia se habían tirado de panza sobre la alfombra raída y manchada, descalzas, claro. Ninguno pareció prestarle la menor atención. Laura, entonces, se dirigió a la recámara que nadie había hecho y estuvo a punto de aventarse con todo y zapatos sobre el lecho nupcial que nadie había tendido, cuando vio un calcetín en el andén y sin pensarlo lo recogió y buscó otro más abajo y lo juntó al primero: "¿Serán el par?" Recogió el suéter de Jorgito, la mochila de Quique, el patín de Betito, unos pañales impregnados con el amoniaco de orines viejos y los llevó al baño a la canasta de la ropa sucia; ya a Alicia le faltaba poco para dejar los pañales y entonces esa casa dejaría de oler a orines; en la tina vio los patos de plástico de Alicia, el buzo de Jorgito, los submarinos, veleros y barcos, un jabón multicolor e informe compuesto por todos los pedazos de jabón que iban sobrando y se puso a tallar el aro de mugre que sólo a ella le preocupaba. Tomó los cepillos familiares en el vaso dentífrico y los enjuagó; tenían pasta acumulada en la base. Empezó a subir y bajar la escalera tratando de encontrarle su lugar a cada cosa. ¿Cómo pueden amontonarse en tan poco espacio tantos objetos sin uso, tanta materia muerta? Mañana habría que aerear los colchones, acomodar los zapatos, cuántos; de futbol, tenis, botas de hule, sandalias, hacer una lista, el miércoles limpiaría los roperos, sólo limpiar los trasteros de la cocina le llevaría un día entero, el jueves la llamada biblioteca en que ella alguna vez pretendió escribir e instalaron la televisión porque en esa pieza se veía mejor, otro día entero para remendar suéteres, poner elástico a los calzones, coser botones, sí, remendar esos calcetines caídos en torno a los tobillos, el viernes para...

Beto se levantó, fue al baño, y sin detenerse siquiera a cerrar bien la puerta, orinó largamente y, al salir, la mano todavía sobre su bragueta, Laura sostuvo por un instante la frialdad de su mirada y su corazón se apretó al ver el odio que expresaba. Luego dio media vuelta y arrió de nuevo su cuerpo hacia el cuarto de la televisión. Pronto los niños se aburrirían y bajarían a la cocina: "Mamá, a mediodía casi no comimos". Descenderían caracoleando, ya podían oírse sus cascos en los peldaños, Laura abriría la boca para gritar pero no saldría sonido alguno; buscaría con qué defenderse, trataría de encontrar un cuchillo, algo para protegerse pero la cercarían: "Mamá, quiero un huevo frito y yo jotquéis y yo una sincronizada y yo otra vez tocino"; levantarían hacia ella sus alientos de leche, sus manos manchadas de tinta, y la boca de Laura se desharía en una sonrisa y sus dedos hechos puño, a punto de rechazarlos, engarrotados y temblorosos, se abrirían uno a uno jalados por los invisibles hilos del titiritero, lenta, blandamente, oh, qué cansinamente.

Métase mi prieta, entre el
durmiente y el silbatazo

El tubo de la luz perfora la noche y la locomotora se abre paso entre muros de árboles, paredes tupidas de una vegetación inextricable: "Soy yo el que avanzo o son los árboles los que caminan hacia mí", se pregunta el maquinista rodeado de la densidad nocturna y del olor azucarado del trópico. Los pájaros vuelan dentro de la luz, se dirigen al fanal y se estrellan. Un minuto antes de morir tienen los ojos rojos. Toda la noche, el maquinista ve morir los pájaros. El fanal también enceguece las plantas, las vuelve blancas y sólo cuando ha pasado recobran su opulencia y más arriba se dibujan de nuevo las masas sombrías de los montes. A Pancho le gusta asomarse afuera de la locomotora y ver cómo, hacia atrás, todo regresa a la vida; los arbustos de vegetación cerrada resucitan, transfigurados, fantasmales, se persignan deslumbrados ante la luz. Después, la noche los traga, inmensa y hosca como ese ejército de árboles que se despliega sobre centenares de kilómetros a la redonda con quién sabe qué secreta estrategia de guerra. Entre tanto, los vuelos entrecruzados de mil insectos luminosos atraviesan la oscuridad del cielo; hasta se oye el estertor de algún animal cogido en una trampa y uno que otro grito de pájaro herido. Pancho piensa fascinado en los miles de pájaros que caen sobre los rieles; de ellos no han de quedar ni los huesitos, huesitos de pájaro, palillos, ramitas, lo más frágil. El reflector eléctrico pesa media tonelada e ilumina a dos kilómetros de distancia; dentro de esa luz blanca los insectos bailan hasta que amanece. (Camilo les dice "inseptos"). A medida que despeja, va acallándose el rumor de la noche: las chicharras, los gritos extrañamente humanos de los pájaros, los movimientos oscuros del suelo vegetal y pesado, las aguas secretas, sinuosas, que terminan por ahogarse en el pantano. Pancho entonces se recarga y cierra los ojos, suspira, se echa para atrás en el banquillo de hierro; pasa su mano fuerte sobre su cara como si quisiera zafársela; lo único que lo-

101

gra es quitarse la cachucha, alisa sus cabellos, ha llegado su hora de dormir; dentro de un instante bajará de la locomotora a tirarse en cualquier camastro, el primero que encuentre hasta que vuelva la noche. Después del sueño, montará de nuevo en su máquina, su amor despierto, el río de acero que corre por sus venas, su vapor, su aire, su razón de estar sobre la tierra, su único puente con la realidad.

Lo más bonito de Teresa, además de su gordura, era su prudencia; mejor dicho, su absoluta incapacidad para la intriga o la malevolencia. Él regresaba echando pestes contra el jefe de patio general; que se iban a unir todos para sacar al desgraciado, que por algo había un sindicato, que... y Teresa con sus ojos fijos de vaca buena, respondía con voz tranquila:

—Pues a ver.

Nunca un juicio, nunca una palabra de más. Desplazaba lentamente su gran pasividad de la cocina a la recámara, a la azotehuela, y parecía abarcarlo todo. Nada le hacía mella, nada alteraba su humor parejo, y, sin embargo, cómo le gustaba a Pancho que Teresa se sentara encima de él a la hora del amor; él de espaldas en la cama y ella en cuclillas, montada en su pecho, sus piernas acinturándolo; tan enorme, que Pancho no alcanzaba a verle el rostro, asfixiado como estaba por su vientre, sus muslos fortísimos, pero qué dulce, qué reconfortante asfixia. Pancho se sentía entonces tan satisfecho como frente a los controles de su máquina; una espesa felicidad le resbalaba por dentro; bullía el metal líquido que sale del horno de la fundidora con el color puro y blanco de la luz del sol. Pancho pasaba de la plenitud nocturna sobre los rieles de la ruta del sureste, erecto frente a la ventanilla de la locomotora, a la plenitud de la siesta de las tres de la tarde cuando estiraba la mano para sentir el grueso, el cálido brazo de Teresa, y atraerla hacia sí, abrazar esa mole tierna y blanda, y hundirse en ella una y otra vez como los pájaros azotándose contra el faro de luz, una y otra vez sus ojos rojos. Siempre hacía el amor, a eso del mediodía, Teresa con una diadema de sudor en la frente. De la cocina venía el crepitar de la carne de puerco friéndose bajo la tapadera, para que no fuera a resecarse y en Pancho se duplicaba la gula; cogía morosamente y pasaba de una mesa a otra, apenas con el pantalón de la pijama. Se sentaba frente al caldo de médula servido por Teresa a quien un tirante del fondo le resbalaba sobre el brazo, ella también comía viéndolo a la cara mientras volteaba, con el brazo estirado, las tortillas en el comal; sopeaban, tomaban su tiempo, sorbían acumulando en su lengua caliente y agitada nuevas sensaciones, como si continuaran el acto amoroso y lo perpetuaran. Muchas veces, al terminar de limpiarse la boca con la mano, Pancho jalaría de nuevo a Teresa hacia un lecho revuelto y grasiento. Permanecían después el uno en los brazos del otro, la nuca sudada de Teresa sobre el hombro de Pancho, el miembro mojado de Pancho caído encima de la pierna de Teresa, quien sentía cómo aún escurría el semen. Así se hundían en el sueño. Pero a veces Teresa se agarraba del cuello de Pancho como si fuera a ahogarse, a punto de caer a lo más hondo del océano, de su océano, su propia agua; Pancho entonces la deseaba con furia por la dependencia en su abrazo y por esa expresión extraviada en sus ojos redondos. A las seis cuarenta en punto se despedía de ella desde la puerta, en el tardío momento en que Teresa se ponía a lavar los trastes, a levantar su cocina. Cuando Pancho regresaba de su corrida a las seis de la mañana dos días más tarde, la encontraba dormida, se colaba entre las sábanas junto a ella y ella lo recibía con un murmullo de aquiescencia. En el curso de la mañana, Teresa abandonaba el lecho, trajinaba, se ponía a escombrar como decía ella, a planchar ropa. Ya cerca de las dos de la tarde volvía a acostarse junto a él, así vestida, para hallarse al alcance de su deseo a la hora en que él despertara.

—No, Pancho, si ésta no se lubrica.
—¿No le voy a lubricar las chumaceras?
—No, en la máquina diesel todo este trabajo es automático.
—Y los pernos de conexión ¿tampoco los voy a lubricar?
—No, haz de cuenta que todo está hecho.
—Pero ¿quién mantiene la máquina?
—Sola, se mantiene sola; un lubricador hidrostático a base de vapor, de presión, de agua y de aceite, lubrica los cilindros. Esta diesel se hizo pensando en cómo facilitarles el trabajo a los operadores. Lo único que debes hacer es conducir.

Pancho mira a la máquina con desazón, no la reconoce, no sabe por dónde agarrarla. Por primera vez se siente fuera de lugar dentro de una locomotora. Todo está escondido; los controles se integran dentro de una superficie de acero que repele de tan brillante. También el patio de arriba brilla; los ventanales hacen que la estación parezca vidriería. "Nada es como antes —piensa—, nada." En otros tiempos, la mole negruzca de la locomotora despuntaba a lo lejos seguida por su penacho de humo y, en menos de que cantara un gallo, allí estaba estacionada, tapando con su negrura la claridad de la mañana. Entraba resoplando fatigas, echando los bofes y en forma desafiante se asentaba sobre los rieles con un rechinido de muelles. Todavía resonaban sus bufidos triunfales. De ella descendían los ferrocarrileros y se despedían o se saludaban a gritos con el regocijo de haber llegado a casa; al bajar, palmeaban su máquina, le daban en el lomo como a un buen animal viejo, la acariciaban con la mano abierta, unas caricias anchas, a querer abarcarla toda. Pancho se quedaba con la Prieta en el patio de carga, enfriándola, y le gustaba escuchar los martillazos que provenían del taller de carros y de ejes y de ruedas, uno, dos, uno, dos, sobre los yunques y que en sus oídos resonara el ronroneo de los tornos como antes habían resonado los silbidos de la locomotora. Cuando los peones enderezaban la vía reumática con barretas para nivelarla, se quejaban y gritaban en medio de su esfuerzo por levantarla: "¡Eeeeeeeeh! ¡Ooooooooooh! ¡Eeeeeeeeey!" Como que resentían en su propio cuerpo los achaques de los rieles y se solidarizaban. Y todo esto en medio de la respiración uniforme de las calderas y del continuo tracatraca de las pistolas de aire. Pancho le advertía al mecánico mientras se alejaba contento, dueño del terreno: "¡Allí te la encargo, al rato vengo a darle su vueltecita!" Los trenistas pasaban entre los botes de chapopote, los montones de estopa, saltaban el balasto con la alegría retozona del que reconoce su casa; sorteaban los envases vacíos, las cajas desvencijadas, los fierros torcidos, el cochambre. Cierto que no todo era limpio, el balasto yacía cubierto de porquerías, de cosas vivientes ahora carbonizadas, de trozos sueltos de carroña, de herramientas relegadas, toda esta basura que dentro de diez mil años no se distinguiría de los desechos orgánicos e inorgánicos que el tiempo o quizá el mar pulveriza hasta convertir en arena. Una linterna escarbaba la tierra de cabeza; un armón abandonado mostraba sus tripas, la basura ya iba para montaña, pero la actual nitidez de los carriles sacaba de quicio a Pancho.

—¿Entonces, ésta no se lubrica?

—No, Pancho, ya te dije que no.

—Bueno ¿y la Prieta?

—La mandamos a Apizaco. Allá la correrán en algunos tramos cortos.

—Pero ¿por qué carajos no me avisaron que se la iban a

llevar?

—A nadie se le avisó Pancho, llegaron las diesel de 3000 caballos y quisimos ponerlas en servicio de inmediato.

—Ayer me tocaba descanso, por eso se aprovecharon.

Igual que la Teresa. A traición, a mansalva. Un día no amaneció. Después le dijo un peón de vía que la había visto subir a un carro izada por una mano de hombre, que al hombre no lo había podido semblantear pero bien que se fijó cómo Teresa daba el paso rápido sin mirar para ningún lado. En la casa faltaba el viejo veliz panza de buey que siempre acompañó al maquinista. Durante muchos días Pancho siguió' estirando la mano para tomar el grueso brazo de la Teresa y atraerla hacia sí, hasta que optó por ir a la estación y aventarse dentro de la cámara sombría de su otra mujer, guarecerse en su vientre que aun en tierra parecía estar meciéndose, y dormir hecho un ovillo en contra de la lámina diciéndole lo que nunca le había dicho a Teresa: "Prieta, prietita linda, mi amor adorado, mamacita chula, prieta, rielerita, eres mi querer, prieta coqueta" hasta que sus labios quedaran en forma de a, la a de la Prieta, ese nombre pronunciado como encantamiento en contra del dolor y el abandono. Y ahora le salían con eso: con que tampoco estaba la Prieta:

—¿Cuándo se la llevaron?

—Anoche.

Pancho había estado en una junta de sección, en el momento mismo en que la Prieta, lenta, solapadamente, se deslizaba sobre los rieles, conducida por otro maquinista.

—¿Quién la sacó?

El superintendente se impacienta.

—Ve a preguntar al secretariado.

—Yo con los cagatintas no me meto. Ésos ni ferrocarrileros son.

—Hombre, no se trata de eso, las cosas están cambiando para bien, es el nuevo reglamento, tiene que aumentar la fuerza tractiva de Ferrocarriles, nos va a beneficiar a todos. Además date de santos que tu locomotora no se va a vender como chatarra a Estados Unidos. Se van a vender casi tres mil carros que están en pésimas condiciones.

—Chingue a su madre.

Pancho da la media vuelta antes de que el superintendente pueda responder. Se larga, al cabo siempre ha sido tragaleguas, y piensa: "Si me alcanza, aquí nos damos en la madre". Casi lo desea, pero el otro no viene, nadie lo sigue. Camina entre el ardor de los rieles que le relampaguean en los ojos, acerándoselos, rebanándolos; pisa el balasto para que no se le enchapopoten los zapatos y al hacerlo recuerda con qué gusto barría la tierra la Teresa, y eso que lo hacía con una escoba tronada; intenta retener la imagen, que barra frente a él, pero el calor parece fundirlo todo; ménsulas de señales, rieles, durmientes, muelles, remaches, en una gelatina gris y espesa, el acero se desintegra, ahora son puros terrones, sí, es tierra común y corriente, "si viene un tren ni madres, no me muevo". En una barda recién pintada con chapopote relumbra el letrero: "Viva Demetrio Vallejo". Camina sin parar, el sol en la nuca taladrándole los hombros. Hace rato que salió de Balbuena y pasó bajo el puente de No-noalco; hace rato que entró a los llanos, ya ni guardacruceros hay, ni un sólo hombre sentado en algún muelle, ni uno que pa-tee encorvado la grava con los pies, ni uno que juegue con la arena, con las piedritas que luego se les caen a las góndolas, sólo por allí un zapato desfundado, vencido como él y más allá un cabús pudriéndose al sol. Ya ni torres de vigilancia, ni grúas. Le parece escuchar un llorido de zapatas, "híjole ya estoy oyendo voces", ni un solo convoy con sus carros cargados de azufre del Istmo de Tehuantepec, ni uno solo de sal, hay que seguirle, po-ner un pie frente al otro durante quién sabe cuántas horas hasta el atardecer, la garganta seca, al cabo ya está acostumbrado, aguan-ta eso y más, aguanta un chingo. "Tengo que llegar a alguna estación para no quedarme aquí en despoblado", pero como nin-guna casa reverbera en la distancia, Pancho se sale de los rieles y se tira a un lado de la vía y allí duerme como bendito, como piedra en pozo, como hombre muerto.

—Sabes, los precios están por las nubes.
Cuando Teresa hablaba era para quejarse de la carestía. Si no, mientras iba de un quehacer a otro, guardaba silencio. Sólo cuan-do hacía el amor articulaba palabras que empezaban con m, "mucho", "más", "mmm", lenta, suavemente, en un ronco gor-jeo de paloma sí, eso era, un zureo de paloma, que a Pancho siempre le resultó gratificante. Sólo por ese gemido, de pronto, a media comida, a media mañana, a media corrida, Pancho sentía un lacerante, un infinito afán de posesión. Él era quien provocaba ese quejido en la mujer, y encima de ella, abrazado a su vien-tre, esperaba el momento en que comenzaría a producirse, así como acechaba el instante en que la Prieta empezaba a pespun-tear las llanuras con el traqueteo de sus ruedas sobre las juntu-

ras de los rieles. Entonces cuando corría suavecito, en medio del silencio, sentía el mismo deseo que montado en la Teresa; era dueño del tiempo, de toda esta oscuridad, esta negrura que su faro iba perforando; esas sombras que él atravesaba eran terreno ganado, tierras por él poseídas; su conquista, él las había extraído de la noche, gorjeaban como la Teresa, se le venían encima con sus moles blanquísimas y luminosas, blancas como la leche, muslos, senos de la noche, frutos almendrados, piel que lo envolvía suave, tiernamente. Al principio, Teresa era más comunicativa, hablaba de su hermana Berta, de cómo le pegaba, de cómo al no poder desempiojarla, una vez la había rapado; de vez en cuando le reclamaba a Pancho: "Oye tú, ¿por qué no hablas?" y Pancho musitaba: "Nosotros los rieleros, nos hacemos compañeros del silencio". Por eso Teresa se hizo callada. Al no recibir sino monosílabos, dejó poco a poco de abrir la boca, sólo lo más indispensable, sólo aquello que le salía a pesar de sí misma, sin control, ese gorjeo y ese continuo ritornelo acerca de los precios escalando al cielo.

—Pancho, levántate, no seas buey.
—¡Pancho!
Dos rostros le hacen sombra. Pancho se talla los ojos.
—Llevamos horas tras de ti, anda, ven.
El Chufas y el Gringo lo jalan, el Chufas ya le ha metido las dos manos bajo las axilas y lo jala hacia arriba:
—Cómo vas a quedarte aquí, vámonos.
El Gringo se enoja:
—Yo estoy de guardia mañana, cabrón. Anda, vente, ya no estés chingando.
—Oye tú, y ¿quién te mandó llamar? El que está chingando eres tú.
Ahora sí el que se enoja es Pancho y del coraje se levanta.
—¿A poco yo los ando buscando? ¡Ustedes son los que vienen a joderme aquí donde estoy tranquilo!
El Chufas no le ha quitado las manos de bajo las axilas como si temiera una imposible huida. Pancho se zafa de mala manera aunque todo su coraje se lo dirija al Gringo.
—¡Váyanse mucho al carajo!
—Órale Pancho, no te mandes.
—¿Quién les dijo que vinieran? A ver ¿quién? Yo no los mandé traer.
—El Chufas te empezó a buscar.

—Y al Chufas ¿qué? Al Chufas le vale madres.

—El Chufas te vio irte por toda la vía, apendejado y por más que te llamó nunca volteaste. Por eso se preocupó. Ya ni la amuelas. Estábamos en el patio de carga... Anda, vámonos de aquí.

Sin sentirlo, Pancho ha comenzado a caminar al lado de sus cuates. Hace mucho que no anda con ellos. No los buscó siquiera cuando la Teresa se largó ni se asomó tampoco a la cantina. Al cabo tenía a la Prieta y allá se fue a dormir, acunado en sus entrañas temblorosas que lo estrechaban cálidas, en el refuego de su propia sangre que lo hacía reconocerla a medida que avanzaba la noche, prever sus reacciones, adivinar sus sonidos más recónditos, sus tintineos, señales y suspiros. Trenzaba sus piernas en torno a sus ardores así como la Teresa aprisionaba las suyas de suerte que al despertar sólo les quedaba volverse el uno contra el otro. Podía predecir hasta su mínima convulsión: "Ahora se va a estremecer porque llegarán los del taller y los martillazos en el yunque resuenan en toda la lámina; yo mismo los voy a sentir aquí adentro, dentro de ella. En un momento más entrarán los paileros y con ellos el superintendente, y ella se va a aflojar, complacida". Antes, Pancho tenía la costumbre de irse con los cuates a la cantina y al grito de "el vino para los hombres y el agua para los güeyes", se acodaba en la barra a empujarse sus calantanes, después iba a la casa del foco rojo, a bailar con las viejas que huelen a maíz podrido. Pero cuando le cayó Teresa, ya no hubo necesidad de nada, ni de chínguere, ni de viejas rogonas de lupanar. ¡Adiós al Canicas, al Camilo, al Babalú, al Gringo, al Chufas, a Luciano! También el Luciano le había puesto nombre a su máquina: "La Coqueta" y la traía acicaladita con sus colguijes y sus espejuelos, su Virgen de Guadalupe y hasta una foto de él mismo asomándose por la ventanilla de la locomotora. Ahora, pensándolo bien, sentía que un buen calorcito le subía por dentro al venir junto a sus amigos, sus cuates pues, sus ñeros, sus carnales ¿no? que lo habían ido a buscar hasta allá, olvidándose que hacía mucho que él se les había rajado.

—Súbete al cabús. Vamos a echarnos un tanguarniz.

De veras que estos cuates son buenas gentes, muy buenas gentes.

—Pancho, bien que te vendrían unas cheves.

Pancho no dijo ni sí ni no.

—Ya han de haber cerrado, concluye el Gringo.

—Pues vámonos con Martita.

Martita es bien jaladora, cuando los ferrocarrileros andan por allí girando en esa cachondez especial de la parranda y ya todos en la piquera les ordenan: "¡Ya locotes, lárguense, esto ya se acabó, lárguense a dormir!" y no hay ni dónde echarse un buen café, una polla, o de perdida la del estribo, ella tiene siempre abierta la puerta de su casa y no le molesta levantarse de su hamaca y atenderlos con una sonrisa hermosotota, amplia, en sus ojos un lento oleaje de luz como madre para sus hijos sin predilecciones ni discriminación. Por más jodidos que estén, idos de plano, abrazados los unos a los otros cuando antes se abrazaron a los postes de luz, como mástiles, sintiendo que el barco se iba a pique, con sólo verla se les levanta el ánimo. Saca luego luego el mezcal o prepara el café bien caliente, con piquete y leche condensada que sale de la lata de a chorrito: el "chorreado", y si tienen para pagarle, a todo dar, y si no, ai más tarde le pasarán los fierros. De Juchitán ha traído la hamaca, nunca se acostumbró a dormir en cama. "Es la mecidita la que extraño", "es esa mecidita la que la tiene de buen humor" corean los rieleros. Siempre se sienten a toda madre en casa de Martita; el estómago revuelto se les asienta y aunque estén cayéndose de borrachos, ella les quita lo del cuerpo cortado mediante sus hojas con piquete, sus chorreados, tan buenos para calentar la panza. Y nada de joderlos con regaños ni vaticinios negros, nada, hermosotota la Martita, hermosototes sus ojos con ese lento oleaje de luz, uno qué más quiere en esta canija vida que sentirse bienvenido, amparado por los ojos de una mujer que lo recibe a uno de buen modo, uno qué más puede pedir, a ver ¿qué más? También a ella dejó de frecuentarla Pancho cuando llegó la Teresa.

—Mañana quiere verte el superintendente —le dice el Gringo al segundo "chorreado".

—Ya le menté la madre.

—Dice que quiere verte.

Para el superintendente Alejandro Díaz, Pancho es un personaje. Hasta le gusta verlo pasar con su cabello gris y sus hombros que empiezan a encorvarse rumbo al local de la sección y advertir gravemente: "Mañana a las doce empieza la huelga, el paro de dos horas porque ya se venció el plazo que le dimos a la gerencia..." Y eso que Alejandro Díaz es empleado de confianza. Ante Pancho, preferiría no serlo para oírlo pelear en la asamblea, ver su mirada retadora, fuerte, su mirada de hombre libre, cuando son tantas las miradas rastreras que lo persiguen durante el día. ¡Y eso que sólo es superintendente! ¡Cuántas miradas viles no verá el presidente de la República! Dicen, pero nadie lo sabe a ciencia cierta, que Pancho habló una vez en la sección 19 de Monterrey frente a una asamblea de mil ferrocarrileros que creían en el Charro Díaz de León: los tres primeros oradores apoyaron al Charro, y cuando subió Pancho Valverde, supusieron que se uniría a los demás, y qué desconcierto cuando dijo que se trataba de un líder corrupto, al servicio de la empresa, del gobierno y sobre todo de sí mismo, de sus propios y mezquinos intereses. Toda aquella gente sabía que Pancho Valverde era derecho, y sin embargo la asamblea quedó dividida. Ése fue uno de los grandes golpes en la vida sindical de Pancho pero nunca lo había comentado. A veces en la cantina rememoraba la asamblea y murmuraba: "No se vale, no se vale". Por ello los viejos respetan a Pancho y los jóvenes quieren ser vistos por él; hacer méritos frente a él. Igual le sucede al superintendente. Alejandro Díaz sabe que él no cuenta para Pancho, que el maquinista daría la vida por Timoteo, por Venancio, por Chon, por Baldomero, por el Gringo, por Camilo, por el Babalú pero no por él. Por ellos sí. Alejandro Díaz ha visto cómo reclama indemnizaciones, lucha por los jubilados, se queda hasta avanzada la noche a revisar contratos de trabajo, a memorizar cláusulas casi todas a favor de la empresa para rebatirlas en la junta. Sus "cállense cabrones" en la asamblea resultan más eficaces que cualquier alegato, el golpe de su puño en la mesa de debates quemada de cigarros es definitivo, y en el presídium lo primero que se ve es su rostro por la intensidad de su expresión. Y no es siquiera que aspire al poder, es que Pancho es amigo del garrotero Timoteo, quien ahora lo mira, su muñón sobre la mesa porque el antebrazo lo dejó prensado entre dos carros en una de tantas maniobras, y también es cuate de Venancio, jubilado que se muere de hambre dentro del furgón que habita a pesar de que su mujer ha colgado geranios en las ventanillas y quiere a Lencho el fogonero que ya no palea carbón sino rencores y le cae bien Concepción, Chonito que se la vive en el Templo del Mediodía, abajo del Puente de Nonoalco, en la calle de la Luna, esperando a que Roque Rojas, ¡olvídense de Jesucristo! se posesione de su envoltura humana y lo libere de la artritis, la vejez, el aliento a agua enlamada, que le advierte que se le están pudriendo las entrañas.

110

Pancho Valverde nunca se ha dejado bocabajear: "Hablo porque quiero y porque puedo y porque aquí me he chingado muchos años". Salpica sus alegatos de dichos: "Entre menos burros, más olotes", "Camarón que se duerme se lo lleva la corriente", "El que es buey hasta la coyunda lambe" y para Alejandro Díaz resulta curioso asociar los dichos de Pancho a expresiones como "producto nacional bruto" (los brutos somos nosotros), "días festivos" (el que nace tepalcate ni a comal tiznado llega), "contractuales" (ya no hay ferrocarrileros de reloj y kepí), y otros terminajos que Pancho se ha aprendido de memoria en sus muchas veladas de machetero. "Órale, órale, no te me engolondrines." Pancho fue el de la iniciativa en contra de los empleados de confianza, que pa qué tantos, que de qué servía ese bute de contadores muy prendiditos, de secretarias que caminaban como pollos espinados, que de los quinientos empleados de confianza del Ferrocarril del Pacífico no se hacían cincuenta, y pidió el cese de por lo menos veintitrés que a él le constaba personalmente que no hacían nada, dio pelos y señales y entre ellos se encontraban dos hijos de Benjamín Méndez, el gerente. Que los ocho mil trabajadores del riel, ésos sí mal comidos y mal pagados, estaban hartos de la burocracia, de tanto papeleo desabrido, y claro, la empresa no cedió, hubo muchos destituidos, pero qué bonita lucha la de Pancho, bonita hasta para Alejandro Díaz que intervino a favor de Pancho para que no lo destituyeran y éste no lo supo jamás, bonita la lucha con una chingada, porque si Pancho impulsa las huelgas siempre se ha manifestado en contra de los sabotajes. Ama demasiado a los trenes para tolerar una máquina loca, una colisión; si una sola abolladura en su locomotora lo hace agacharse como si el golpe cayera en su cuerpo, un ataque a las vías del tren le duele en carne propia como aquella vez en que un canalla bloqueó el pedal de seguridad de la 6093 poniendo una planchuela de acero sobre el acelerador, tiró de la palanca y la máquina salió disparada, a más de ochenta kilómetros por hora en contra de la 8954, la Coqueta, la de Luciano que hacía movimientos de patio y por poco y muere Luciano quien después de quitarle los frenos a su locomotora se aventó hacia afuera. Salvó su vida pero no la de su Coqueta que quedó transformada en una escalofriante montaña de hierros retorcidos. Meses más tarde, Luciano murió, de la tristeza. Con Luciano, Pancho había vivido huelgas y otras aventuras; Luciano una vez quedó prendido al árbol del garrote tratando de detener cinco carros locos y desbocados y sólo se tiró en el último instante, cuando vio que era inminente el siniestro; Pancho solía cantar sentado sobre un durmiente: "Por donde quiera que ando/ y a donde quiera que llego/ la polla que no me llevo/ la dejo cacaraqueando" y los dos reían porque de muy jóvenes ambos tuvieron la comisión de pintas y entre los "abajo la empresa" y "los ferrocarrileros con Vallejo", escribían con chapopote negro sobre los costados de los furgones, picándose las costillas y tirando los botes, "Vóitelas mi riel", "Tracatraca pero en serio", "No le importe la oscuridad del túnel, después en la riel nos resbalamos", "Dénme una buena máquina y le jalo todos los furgones", "Chingue su madre Díaz de León", "Entre los rieles y entre sus piernas, de pueblo en pueblo casi la hacemos", "Métase mi Prieta entre el durmiente y el silbatazo", "En un buen cabús se engancha lo que usted quiera" y otros dichos sabrosos que dibujaban con esmero, humedeciéndose los labios, porque acababan de descubrir a la mujer y al riel. ¡Ah qué Luciano, ah qué ese mi carnal, ése sí carnal de a deveras, hermano, hermanito del alma!

Para el superintendente Alejandro Díaz, mirar a Pancho resulta penoso; la expresión de su rostro es de desolación absoluta, parece perro sin amo. En el fondo de sí mismo, Alejandro Díaz quisiera decirle a Pancho que si tanto le importa su locomotora de vapor va a gestionar su traslado a una de las vías menores para que siga conduciéndola, pero Pancho Valverde es uno de los mejores maquinistas del sistema, y ahora cuando ya blanquean sus sienes y se ha arrugado su rostro, que en realidad siempre pareció un patio de arribo, la empresa le quita su máquina para darle una diesel, la misma que acaban de comprar en los Estados Unidos. En vez de enorgullecerse, Pancho Valverde desconfía. A la Prieta la cameló ¡ah qué mi Prieta!, porque siempre fue quisquillosa y había que agarrarle el modo, la adornó, le puso su silbato de bronce, él mismo escogió el sonido grave: "Déme un silbato pero que suene bien bonito para mi Prieta, porque tengo una Prieta muy tres piedras". El día en que le tocaba hacer el recorrido llegaba con la aceitera, el cojín para evitarle lo caliente al asiento cuando la máquina queda del lado del sol, el suéter grueso para en la noche, la valijita, el espejo de mano, la linterna. Los otros rieleros reían:

—Allí viene Pancho con su ajuar de novia para su primera noche.

En verdad, todos los recorridos son la primera noche, la de bodas. Pancho se instala en el asiento, agarra la palanca y al hacerlo la acaricia mientras le transmite una orden. Cuando la máquina suelta el vapor con un ruido de agua que sale a gran presión, Pancho también se relaja, y se tensa como cable al meter los frenos, al comprobar que en la pendiente las cejas responden y frenan también, todas ellas concentradas en retener los furgones. Es bonito oír el ruido del choque de las máquinas al engancharse, ¡le es tan familiar como el cierre de una puerta! Ya fuera de la estación, Pancho abre todo el regulador y le habla a su montura, a su yegua de hierro, su animal de fuego ancho y poderoso; la halaga con la mano, la reconoce: "Ya, ya, Prietita, tranquila Prietita, quietecita, quietecita, ¡calmada la muchacha!" Camilo o Sixto o Cupertino o Juan el ayudante de maquinista en turno están tan acostumbrados a la voz de Pancho que ya ni lo escuchan. Más bien los adormece y la pasan mondo lirondo porque a Pancho no le gusta compartir a la Prieta. La lleva sobre la vía casi como si la bailara, la mano en su cintura, las yemas de los dedos en sus costillas, ambos ondean, a la derecha, a la izquierda, pasito tun tun como el del que corre por los surcos, en las tierras ocres, las tierras cafés, las tierras profundamente negras que surgen de un lecho pantanoso y se acercan a la vía sin respetar los quince metros de cada lado: el derecho de vía. La tierra rueda bajando de la montaña para venir a acurrucarse aquí en la vía y penetrar entre los durmientes. Empuja las piedras del balasto, se mete en todas partes, burlándose, marrullera, del tren que corre por la ancha vía pita y pita y caminando. Antes del mediodía, el sol empieza a calentar, se azota en la lámina, arremete en contra de la chimenea, se estrella contra el vidrio irisándolo, calor contra calor, combustible contra combustible. Pancho se acomoda el cojín bajo las nalgas; hasta la aceitera hierve, hilos de sudor grasiento escurren de la gorra ferrocarrilera de Camilo el ayudante, quien duerme asándose en su propio jugo, la boca abierta como la chimenea del tren, un horno de vapor que también se pierde en el aire. A partir de las doce del día, los pueblos rumbo a Veracruz ya no son pueblos sino rincones del infierno. Al detenerse en las estaciones Pancho ve los atajos de burros, las mesas en el exterior y la longaniza ennegrecida por las moscas, la manteca bajo la mesa derritiéndose y la viejecita que se protege del calor tapando su cabeza y abanicándose con las puntas del rebozo como si eso pudiera servir de algo. Los que se acercan al tren lo miran en silencio; sólo gritan las vendedoras que en los últimos vagones ofrecen sus tortas de queso de puerco, sus muéganos, sus chara-

113

muscas, su agua fresca que ya el sol ha entibiado. Dentro de poco arrancarán de subida: "Anda Prieta, dale duro, no te me rajes que es el último jalón". Cerca de la máquina, un pasajero de traje ajado le dice a otro acabadito de despertar:

—Esto ni se siente que camine.

—Es que no camina, va a vuelta de rueda.

Pancho está por responderle al catrín ese; por un momento piensa en tocar el silbido de alarma sólo para darle un buen susto pero la disciplina se impone. Él sabe correr su máquina para que le rinda el vapor y el agua; es un buen maquinista y así lo han clasificado por dos razones: una, su buen manejo, otra porque sabe dosificar el combustible y sacarle el mayor provecho. Lo que digan los pasajeros le tiene muy sin cuidado, ellos no están al tanto de que la Prieta tiene más de veinte años y que es una de las máquinas mejor cuidadas de Ferrocarriles. No en balde, en su día de descanso, don Panchito, como lo llaman los ferrocarrileros más jóvenes, la acompaña al taller para supervisar sus cuidados. Los mecánicos la conocen y ponen especial esmero en examinar todas las parte de la Prieta. El mismo Pancho la pinta, la recorre de cabo a rabo, que no se maltrate, que no se enmohezca, que ningún gozne permanezca olvidado, que cada una de sus piezas esté aceitada. Cuando un muchachito entró de ayudante, de chícharo, exclamó al ver los montones de grasa negra: "¡Qué trabajo tan puerco!" Pancho le respondió: "¡Sácate de aquí, roto, hijo de la chingada!" y no lo bajó de maricón. Los demás rieleros le hicieron eco, entre risas, burlas y otras mentadas de madre; ellos mismos tienen grasa hasta el cogote, una grasa pesada, negra, visceral, porque con ésa van cubriendo todo el interior de la máquina, frotándola, acomodándola en los menores intersticios, dispuestos a chirriar ríspidamente, redondeando los ángulos con una capa mullida, gruesa; forrando los intestinos de la locomotora con este nuevo líquido amniótico que la suaviza y la vuelve dócil. La grasa nunca se ha visto como cosa sucia en el taller, al contrario, es una bendición, y sin embargo ahora el superintendente Alejandro Díaz se pone a explicarle como si no hubiera sido nunca ferrocarrilero.

—Con la máquina diesel el trabajo es más limpio, más técnico, ya no te vas a ensuciar, además te vas a ahorrar quién sabe cuántas jornadas de andar hurgoneándole a la máquina, lubricándole hasta el alma.

Pancho lo mira sin comprenderlo. Para él lubricar manualmente las chumaceras, sacarlas de sus ejes, frotarlas una y otra vez para volver a acomodarlas es un gusto, una necesidad física.

—Vas a ver cómo al rato te hallas, Pancho; todo es cuestión de costumbre.

Pancho menea la cabeza.

—Habemos unos que no a todo nos acostumbramos.

—Vas a ver que te sientes bien. Mañana vamos a correr la máquina a Veracruz. Tú te la vas a llevar... Llevas cemento.

—¿A Veracruz?

Con esta nueva locomotora anaranjada y tiesa, Pancho no habla. En las estaciones nada ha cambiado; son las mismas bancas piojosas y desvencijadas, los mismos puestos de cecina que se tuesta, las mismas mesas cojas, los mismos enjambres de moscas, los mismos burros de lomos cubiertos de cicatrices. Sin embargo como que Pancho en su cabina de controles está más alto, menos a la mano. No alcanza a oír lo que dicen los pasajeros de trajes arrugados por una noche de viaje ni le llegan los gritos de los viandantes que izan sus canastas de ventanilla en ventanilla. En la noche tampoco subió el calor, no necesitó el cojín ni la aceitera y tampoco le chorrearon hilos de sudor negro al segundo maquinista quien durmió muy tranquilo, acostumbrado a las maneras de Pancho. Y sin embargo, Pancho, inquieto, lo despertó en varias ocasiones: "Órale que yo a ésta no le sé el modo". Con ésta habrá que botar el ajuar de novia, nada de eso es necesario, ni siquiera la valijita porque allí esquinado se abre un lóquer para colgar la chamarra, se puede regular el aire acondicionado así que ni suéter ni espejo porque toda la carlinga está cubierta de espejos retrovisores. Pancho guarda un silencio desconfiado y sin embargo la diesel es tan poderosa, tan noble en las subidas, de tan buena alzada, que al día siguiente se pone contento ante la idea de acompañarla al taller para su revisión después del viaje: "Así me voy familiarizando con ella", como un nuevo amor de tres mil caballos al que uno le va agarrando admiración, luego cariño y después eso que hace olvidar lo de antes, las Prietas, las Teresas. Quién sabe si así sea, pero puede...

A la mañana siguiente, antes de entrar al taller, el jefe de patio le dice:

—Ya la máquina está llamada.

—Muy bien, la voy a acompañar.

—No. Ahora viene un maquinista por ella.

—¿Cómo?

—Sí, tú aquí la dejas y otro operador se la lleva.

—Pero es que yo quiero ver qué le hacen para el próximo viaje.

—En la próxima corrida no te va a tocar esta 5409 sino otra.

—¿Cómo que otra?

—Sí, cualquiera de las ocho máquinas diesel que se compraron en Estados Unidos. Así es el nuevo reglamento. Tú aquí la dejas y en el taller se encargan de ella. Esta máquina saldrá con otro. Ahora así es, como en la industria automovilística; las máquinas se someten a un proceso en el que intervienen muchos. Se trata de agilizar el servicio.

Pancho se hunde la gorra ferrocarrilera sobre los ojos. ¡Hasta eso le están quitando! Mirar, sentir cómo la máquina se hace a uno, cómo se va aprendiendo de memoria el camino, cómo habla a su modo para pedir lo que le falta. ¡Hasta eso! Ver cómo las manos van dejando sus huellas en la palanca, en el regulador, oír cómo el ruido de la respiración va contagiando día a día las láminas hasta transmitirles el calor de uno. ¡Hasta eso, carajo!

—Son las técnicas modernas; así lo han planeado los ingenieros para ganar tiempo.

A la Teresa también le complacía que él fuera acariciándola poco a poco, suavizándola, tallándole, metiéndole la mano en los menores intersticios hasta sacarle su aceitito, sus juguitos blandos. Entonces la Teresa se abría, las gruesas piernas bien separadas, olvidada de todo, y ondulaba bajo su abrazo, sus grandes pechos erectos apuntando hacia él, su sexo encarrujado, líquido, fruta de mar, desecho entre sus manos, batido en espuma, a punto de venirse. A él le gustaba esperar hasta el último momento para verla bien, escuchar todos sus ritmos cambiantes, mirar su boca de caldera abierta, ensalivada, sus párpados caídos, sus manos sueltas sobre la sábana, entregadas las palmas hacia arriba, los dedos tan abiertos como sus muslos aceitados que se levantaban hacia él buscando su mano. Así la lubricaba con su propio flujo, sus propios humores, hasta volverla dócil, hasta tener la mano empapada y el brazo también mojado bajo su cuello, mientras la cabeza se bamboleaba a la derecha, a la izquierda, y las espesas nalgas sudadas también iban y venían en un oleaje que llenaba la cama de agua. Sólo cuando el grueso vientre era sacudido por espasmos, sólo cuando empezaba el zureo de paloma, sólo entonces Pancho penetraba a la Teresa, vente chiquita, vente y no estaba dentro de ella cinco minutos cuando ya la mujer se había venido en una avalancha de estertores, de sollozos, arqueándose una y otra vez hasta quedar colmada. Pancho acechaba en ella el rostro de satisfacción que nunca le había visto sino en el momento del amor y por eso no dejaba de mirarla con los ojos fijos hasta que veía aflojarse todos los rasgos de su cara, su boca chupetear como recién nacido, succionar para después dejarse ir derramada en todas sus facciones. ¡Qué gloria entonces para él ver a esta gorda jadeante, los ojos en blanco, impúdicamente suelta, el monte abultado y ancho, ahora quieto, el estómago enorme, esta mujer que había gorjeado ciega, ciega, y que poco a poco volvía a la vida, ya sin fuerza, habiendo dado uno a uno todos sus frutos! A la hora, Teresa salía de la cama, y así, sin más, sin pasar siquiera al baño, se iba a la cocina a encender la lumbre. Comían para poder regresar luego a la cama llena de murmullos líquidos y él la montaba con prisa porque tenía que irse al trabajo y ella se ofrendaba otra vez maciza, entera, seca, buenota, qué buena mujer la Teresa, qué buena, se resarcía pronto, y él se lanzaba de nuevo, su mano tentoneaba, buscaba reconociéndola hasta aguadarla con sus caricias. ¿Aquí? ¿Más abajito? ¿Más abajo? Dímelo, chiquita, ¿aquí?

—Quiero mi traslado a Apizaco.

—No seas pendejo, ¿cómo te vas a salir? Pancho, no vas a perder tu antigüedad, así no más porque sí.

El Gringo se enoja. Le dicen el Gringo por los ojos claros pero es de la sierra de Puebla.

—Voy a hablar con el superintendente de Fuerza Motriz.

El Gringo es un hombre bien fogueado, empezó a trabajar en Ferrocarriles como peón de vía; luego lo ascendieron de limpiador a fogonero. Tan rápido fue su escalafón que los otros se enojaron: "¡Ahora no más falta que las moscas sean conductores!", pero el Gringo había sido pasacarbón y también garrotero. Hizo la carrera completa: garrotero de patio, mayordomo, jefe de patio, ayudante del jefe de patio general y allí se le acabó el terraplén porque el siguiente puesto o sea el de jefe de patio general, el que manda en la terminal, es de confianza y prefirió, como Luciano Cedillo Vázquez, quedarse de este lado de la cortina... de billetes. Se las sabía de todas, todas. Hacía escasos cuatro meses habían pedido que les dieran la reglamentación de la fuerza diesel, porque las locomotoras mucho más potentes que las de vapor salían con cuarenta y hasta cincuenta carros y utilizaban el mismo personal y muchos rieleros quedaron entonces sin trabajo. El Gringo luchó porque también los auxiliares de locomotora tuvieran contrato pero perdió. Lo que nunca perdía, incluso en el bote, era la esperanza.

—Tú puedes sacarle treinta mil pesos a la empresa cuando te jubiles.

—No mames, ¿qué te pasa? ¿Cuántos jubilados conoces que no se estén muriendo de hambre?

El Gringo golpea su vaso contra la mesa.

—Puedes sacarle hasta cuarenta mil.

Si no fuera el Gringo, Pancho lo largaría, pero se trata de un viejo preparado. El Chufas ya medio trole ríe quedito. El Gringo vuelve a golpear su vaso y le grita al de la cantina: "¿Qué pasa con las otras? ¡Te vamos a acusar de tortuguismo!" El cantinero malhumoriento al ver el vaso en el aire está por responder: "Si lo rompes lo pagas", pero se arrepiente.

—A mí me quitaron a mi negra consentida —se acerca Venancio— y no por eso le he hecho el feo a las nuevas.

—Sácate de aquí.

A Pancho le gusta el sabor de la primera cerveza cuando pasa un tantito agria, un tantito rasposa por su garganta. El Chufas con el dorso de la mano limpia sus bigotes de espuma. Sólo el Gringo se la empina de un jalón y pa luego es tarde, pide las otras que corren por su cuenta; de suerte que los cuates no han terminado cuando ya están frente a ellos las nuevas botellas.

—Por esas sierras, la vía es pura brecha.

—Por esas partes, los recorridos —insiste el Chufas— no se cuentan por horas, sino por días.

—¿Y a mí qué?

—Ésa ya no es máquina —vuelve a la carga Venancio— ésa es un huacal pollero.

—Lárgate —grita de nuevo Pancho.

Y esta vez Venancio se levanta, al cabo ya terminó su cheve.

—Lárgate tú con tu máquina.

Caritino se sienta en el lugar que dejó libre Venancio, pide su cervatana, echa su silla para atrás y se tapa la cara con la gorra. Siempre hace eso. "Yo vengo a descansar" aclara. Sólo se despereza a la hora de los trancazos porque a eso sí le gusta entrarle.

En el ambiente cálido de la cantina, Pancho echa a rodar sus recuerdos y más ahora que está a medios chiles. Cuenta de la Hermandad de Caldereros, de la Fraternidad de Trenistas, de la lucha de 1946 que resultó sangrienta, del mayordomo Reza que cayó herido de muerte por un tiro en el cuello, en la mismita estación del ferrocarril, de sus compañeros patieros; habla de las huelgas pasadas y siempre perdidas, del comité de vigilancia que alguna vez encabezó, y, finalmente, ya en las últimas, de lo bonito que es asomarse a la ventanilla de la Prieta para sentir las bocanadas de aire. Y en voz baja, avisa:

—Mañana me largo a Apizaco.

El Gringo interviene:

—Ni que te fuéramos a dejar.

Caritino se descubre el rostro, su gorra ferrocarrilera echada para atrás y toma un largo, un lento trago de cerveza.

—Yo que él también me largaba.

—Ustedes están en contra del progreso.

—Qué progreso ni qué ojo de hacha.

Al día siguiente, Pancho no vino a trabajar. Los rieleros pensaron que se había ido a Apizaco, que dentro de algunos días sabrían de él; el superintendente Alejandro Díaz le pidió personalmente al telegrafista que le avisaran en cuanto lo vieran, aunque en la sierra los telegrafistas tienen la maldita costumbre, sobre todo en las estaciones perdidas, de aislar los aparatos y dejar de transmitir las órdenes. De allí tantos rielazos. A los pocos días, Alejandro Díaz supo que tampoco la Prieta estaba en el andén de la estación ferroviaria de Apizaco. Como era una máquina vieja, no la reportó de inmediato, la empresa no haría mucho escándalo y se ganaban unos cuantos días para proteger a Pancho, localizarlo, mandarle decir que se dejara de pendejadas. "En esa cafetera no va aguantar y si aguanta, que no crea que vamos a dejar de arrestarlo." "¿Cuál arrestarlo? Ésa es una desgraciada carcacha que se le va a chorrear en la primera bajada. ¿No le has visto las cejas?" En la cantina volaban las conjeturas: "¡Pobre Pancho. Así suele sucederles a los viejos rieleros, se les bota la chaveta!" "¡Si Pancho sigue agarrado de su palanca, se va a matar!" Ferrocarriles empezó a enviar despachos para que en la primera estación en la que se detuviera lo avisaran a Pancho que estaba bajo arresto, que ponía en peligro la vida de otros que recorrían como él los tramos menores, pero ni un telegrafista reportó jamás el arribo de la Prieta. En Buenavista, sólo el Gringo pretendió organizar cuadrillas para recorrer la vía de Apizaco a Huauchinango; incluso se fue en cabús pero no vio máquina alguna; ninguna locomotora de esas señas había cargado combustible, ningún maquinista de pelo blanco había bajado a proveerse de bastimento. O lo estaban protegiendo o se lo había llevado la madre de todos los diablos. En Ferrocarriles dedujeron: "Se ha de haber desbarrancado en la primera corrida y ni sus luces". Ha de estar en lo más hondo del resumidero. "¡Pero no puede perderse una máquina con un hombre así como así!" "¡Más se perdió en Roma y ni quién se acuerde!" Lo curioso es que en muchos tramos había murciélagos carbonizados en la vía y en el balasto como si de veras un tren hubiera pasado y ellos, los ojones, se hubieran estrellado contra su gran faro. Sin embargo, ninguna estación reportó máquina alguna; nada, ningún sonido en los rieles. Después de unos meses, los despachadores no recibieron entre sus órdenes la clave de la Prieta; sus señales, tamaño y abolladuras para poder reconocerla. Y los que la reconocieron, si es que llegaron a verla, se hicieron ojo de hormiga porque nadie mandó el parte a Buenavista.

De Apizaco a Huauchinango y también entre las poblaciones que se adentran en la sierra, por el rumbo de Teziutlán se esparce el rumor de una máquina loca que hace corridas fantasmas y en la noche se escucha cómo el maquinista abre la válvula de vapor y la montaña resuena entonces con un lamento largo, como el grito de un animal herido, un grito hondo y dolido que parte la sierra de Puebla en dos. Nadie la ha visto (aunque todos los hombres del mundo se han ido un poco con el tren que pasa), pero una vez, un despachador que se iniciaba en una estación perdida de la Huasteca, de ésas donde no cae un alma viviente y en las que suelen mandar a entrenarse, en medio de los abismos oscuros, a los nuevos para que se despabilen, envió un telegrama que leyeron en Buenavista: "Métase mi Prieta, entre el durmiente y el silbatazo". El Gringo que andaba en *la chancla* de la estación se enteró y fue el único en sonreír. Pero como ya no le gustaba platicar no dio explicación alguna. Tampoco la dio Alejandro Díaz, empleado de confianza.

El rayo verde

Ahora que me acuerdo, revivo tantas cosas. que me alborotaron, me sacaban de quicio sin llevarme a conclusión alguna, como ésta del rayo verde.

—Cuando salgas de vacaciones te fijas muy bien porque a lo mejor alcanzas a verlo.

Si no alcanzaba a verla a ella, si siempre andaba escapándoseme de las manos, si no podía asirla ni respirar tranquila en su presencia, mucho menos iba a poder atrapar el rayo verde.

—No debes despegar los ojos del horizonte.

Todo esto lo pienso ahora que estoy vieja y me he vuelto gruñona, desabrida, malhumorienta, pero antes sus palabras me lanzaban a un estado de febrilidad difícil de controlar. Entonces era yo un alambrito, tenso, anhelante, que corría buscando ¿qué? Ella me excitaba aún más:

—Si estoy a tu lado, podré señalártelo pero tienes que poner tú misma una gran atención.

Toda mi atención la centraba en ella; una capacidad superior de atención. No perdía uno solo de sus gestos, sus palabras quedaban marcadas al rojo vivo en mi espíritu como si éste fuera una anca de res. Era yo su res, su becerrita de panza.

—Si lo ves, serás feliz.

¿Cuánto tiempo? ¿Toda mi vida? ¿Un ratito?

—Sólo dura un instante, por eso no debes distraerte.

¿Cuánto es un instante? ¿Una fracción de segundo? ¿Un segundo? Ahora sé que hasta un segundo puede ser largo; hay relojes en que anidan muchos años. El segundero es a veces intolerable.

—Espéralo al atardecer.

Lo dijo con su hermosa boca roja, sus dientes blancos sobre los cuales se estrellaba el viento, su pelo volando, un pelo cálido, castaño caliente como sus ojos, un pelo de azúcar morena, de piloncillo, capaz de derretírsele a uno encima; sé ahora que toda ella era de azúcar por dentro, de piel recubierta tan solo, una piel esperanzada que la contenía apenas; una piel contra la cual se azotaba el azúcar retenido a duras penas por esa fina membrana, como de uva.

Algunas tardes, en el mar, para sentirse más cómoda se quitaba la ropa. Decía que le gustaba que el agua fluyera bajo sus brazos, contra su pecho, en medio de sus senos. Cuando alguien se acercaba, volvía a vestirse despacio, sin ningún apremio, sus gestos lentos recortados en el aire, detenidos por la luz que hacía más vívidos sus miembros. Un ardiente contorno anaranjado la aislaba, un halo, como si toda ella estuviera cubierta de un suavísimo vello dorado.

¿Se daba cuenta siquiera de cómo latían mis sienes, del golpazo en la caja de mi pecho, de mis ojos adoloridos fijos en el horizonte?

—Espéralo aquí.

Las dentelladas ardientes del sol sobre mi piel empezaron a aflojarse. Se estaba metiendo. Yo tenía que ser feliz; esperaría al rayo toda la vida. La arena también dejó de arder; pude meter mis pies dentro de ella, sentirla resbalar caliente sobre mis piernas, sobre mi vientre. Era reconfortante. El rayo verde debía transmitir esa misma sensación de bienestar, de pertenencia. ¿No era eso la felicidad?

Río de mi pregunta. Todos los hombres al pasar volteaban a verla, absolutamente todos; muchísimos pares de ojos le caían encima, pero al sentirse cercada, ella retrocedía hasta perderse en el calor de la playa; un vaho que parecía levantarse de la arena se espesaba en torno a ella, volviéndose casi bruma para esconderla. Sólo alcanzaba yo a oír su risa.

—No parpadees, puede escapársete en un parpadeo.

¿Cómo ella? Dentro de un momento ya no la veré. Es huidiza, inasible, nunca deja que la toque, que la abrace. ¿Qué voy a hacer sin ella, en medio de esta soledad aterradora? No, aterradora no es. Veo a lo lejos cómo los últimos bañistas recogen sus toallas, su equipo de playa; un niño patea un coco vacío; ¡ay, ya se lastimó el pie!, una madre de familia, su mano sirviéndole de visera, les grita a sus hijos que ya es tarde, que salgan del mar, pero sólo responde una bandada de gaviotas. A la madre eso no parece preocuparle, las amarra de una pata con un mecatito y se las lleva jalando sin que ellas opongan la menor resistencia. Los vendedores ambulantes en cambio levantan a duras penas sus canastas gordas, gordas, gordas, retacadas de dulces de coco, palanquetas de coco, cocadas, barritas de coco, aceite de coco con yodo para asolearse, jabones de coco; mármol blanco estriado de rosa; ahora, el agua lame la arena, una y otra vez va subiendo, una pequeña brisa la acompaña, enchina su piel plateada, le riza las crestas, las enrosca y a mí también se me pone la carne de gallina. El frío en el mar es triste. La busco con la vista, ya no la veo; me ha dejado sola en la playa en espera del rayo verde; oigo las chicharras, qué bueno, a mí siempre me han dado seguridad, será por aquello del grillo del hogar. Las oigo y me sereno, aunque también desde allá, desde la bruma dorada en la cual ella desapareció, una sinfonola caliente avienta al aire un ritmo guapachoso:

> Salgo para Venecia
> adiós Lucrecia
> te escribiré.

¿Me escribirá? Ni siquiera sé a dónde ha ido. Por eso habló tanto del rayo verde; sabía que iba a dejarme. Por eso, ni siquiera me indicó cuál sería mi casa entre todas aquellas de hoja de palma. No puedo moverme de aquí, aunque tarde el rayo. Ella me lo advirtió: "Es cosa de un pestañeo; puede perdérsete con sólo bajar los párpados". Luego se esfumó. Siento que mi corazón se ha ido, siento la oquedad, me sube por la garganta, pero no puedo distraerme; después de todo, antes de desaparecer, me legó la fórmula de la felicidad.

Las olas se hacen más grandes, más altas, parecen querer sorber la arena, engullir la playa, llevársela. La arena en torno mío se ha enfriado. Una inmensa ola se viene playa abajo y recojo mis pies; me succiona, intento defenderme como puedo, hundo los codos, los dedos, si logro levantarme —pienso— echaré a correr. En el horizonte, el cielo se mantiene rojo, a punto de incendiarse. El cielo me pulsa en las sienes. Permanezco paralizada en mi cripta de agua; ahora se ha hecho dócil, burbujea, hierve junto a mis brazos y de pronto estalla tac, tac, tac, tac, casi pretende acariciarme, al menos eso creo. No se va, se estanca, la arena la mece, la abraza sin chuparla, ávidamente. De pronto, todo es dulce, la paz parece acunar mi corazón, sostenerlo suavemente. Hasta el agua se ha entibiado. En el horizonte empiezan a surgir los seis colores del arcoiris, uno tras otro pero no puedo distinguirlos porque el rojo del sol es demasiado intenso. Sólo los presiento y los enumero en voz alta, para oírme, para hacerme compañía; rojo,

123

anaranjado, amarillo, verde, azul, violeta como en mi caja de lápices de colores. El sol se aquieta en el mero filo del agua, se va a ahogar, no, se asoma aún detrás del horizonte, allá donde acaba el mar, donde acaba la tierra y yo lo siento por debajo del agua, allá atrás y reflexiono: "Por eso la tierra es redonda. El sol se siguió para abajo". Me duele la espalda, mi joven, mi flexible espalda: "¿Cómo es que no se me ocurrió recargarme en algo, una roca, un palo, cualquier cosa?" Mi espalda tensa me impide concentrarme. Cuento mis parpadeos. La sangre se está yendo del horizonte, me ilusiona ver un halo color verde, es apenas un fulgor que me astilla los ojos. Sigo con la vista clavada en el horizonte. ¿Era ése el rayo verde? No, ése era un arco, un semicírculo sobre el mar. Las olas se tranquilizan, golpean la playa, me gustan sus chasquidos; una suavidad azulosa baña el horizonte, una franja gris descansa dulcemente sobre la arena porosa; en la lejanía, el ardor se ha apagado, ya ni siquiera veo el filo del agua, el sol se ha metido.

Tres gaviotas lejanas cruzan la vastedad del cielo.

A falta de otra cosa, lo he buscado en los libros. Leí a Gamow, a Giorgio Abetti y me enteré de las manchas solares, vi erupciones gaseosas como gigantescas columnas de fuego, me enteré de las perturbaciones magnéticas y de la aurora boreal. Pregunté por la relación de las golondrinas con el sol y los sabios rieron, pero yo sé que tiene que ver con su migraciones. Hasta aprendí algo acerca de la juventud y vejez de las estrellas y declaré que quería morir de muerte térmica, al mismo tiempo que el sol. "¿Puede estallar el sol?" Nunca estudié en serio, no pasé del Flammarion, de la astronomía popular. Los hombres me envolvieron con sus voces planas, pedregosas, su rutina y sus órdenes; muy pronto me di cuenta que por cada mujer sobre la tierra hay un hombre dándole una orden. Me compensó salir en la noche, con un nieto de la mano a señalarle las estrellas fijas y la nebulosa de Orión, pero nada me emocionó tanto como ver la corona solar un día que el Observatorio de Sacramento Peak abrió sus puertas al público.

Entre tanto, he cumplido sesenta años de luz solar; jamás he vuelto a tener acceso a cámara Schmidt alguna y me conformo con mis ojos, acostumbrados a los gases domésticos que un carro-tanque reparte de casa en casa. Voy a la playa con sombrero, atajo mi cráneo del sol; ya no doblo las rodillas con facilidad ni hundo las manos en la arena. Antes caminaba durante horas con los pies

124

en el agua, le advertía a algún nieto que no se rezagara, que no fuera a meterse solo a lo hondo; como Cuauhtémoc, era yo una joven abuela. Pero ahora, el sol me cala; pesa sobre mi espalda. Busco mis anteojos. Si antes iba yo a la playa casi desnuda, hoy cargo el bolsón de las precauciones. Encierro mi sombra para que no escape, la doblo en dos y la extiendo como toalla en la arena. A veces va a meterse bajo otras sombrillas y tengo que gritarle que aún es mía. No le gusta reflejar mis hombros que se encorvan, mis piernas vencidas. Se alarga queriendo ser garza, mientras yo me asiento como el café en la taza, doblo el cuello. ¡Hasta ella quiere abandonarme como me abandonó la otra después de hablarme del rayo verde...! ¡Cómo me hizo buscarlo! En las playas del este al amanecer, en las del oeste al atardecer. Durante los quince días consecutivos de las vacaciones de agosto me levanté al alba, a las cuatro de la mañana, me vestí con el corazón de gargantilla, a toda prisa, sólo para encontrarme con la neblina cubriendo hasta la arena esférica (tan esférica como creía yo que era la tierra). Me acostumbré a madrugar y mis familiares protestaban: "Las tuyas no son vacaciones, si vas a levantarte más temprano que en la ciudad". Después de un tiempo optaron por ya no hacerme caso. Se acostumbraron también a mis largas caminatas al atardecer, las manos en las bolsas de la trinchera, el pelo al viento, el agua en los ojos, el agua empapando mis pies, mojando mi pantalón, mis pies sobre la arena haciendo splash, splash, splash, splash. Alguna vez oí la voz aguda del nieto más joven explicar: "Es que, como mi abuela no ha sido feliz con el abuelo, le gusta mucho caminar sola". ¿Reproducía el juicio de algún adulto o tenía que ver la caminata con la infelicidad? No podían entender que yo estaba abierta a todo, que había abierto todas las ventanas de mi razón, todas las puertas en mi cerebro, todos mis poros y que caminaba yo abierta, abierta a un nuevo hombre, a un amor nuevo y que sólo entraban las olas. ¿Son muchas las mujeres que caminan así, solas por la playa al atardecer? No es que yo buscara aislarme, muchas veces urgí a alguno de los niños a que me acompañara, pero a esa hora ya no había gente en la playa, nadie con quién jugar; los caracoles ya no podían distinguirse, una infinidad de pequeños cangrejos corrían sobre la arena a refugiarse en sus agujeros, o quizá salían de ellos y yo no permitía que los niños se detuvieran a espantarlos. "Es su hora, es su casa; nosotros somos los intrusos." Caminar por caminar escrutando el horizonte y detenerse en silencio;

no les decía nada a los niños. Poco a poco me dejaron sola. Una noche, mi nuera Lorena, la más dulce de todas, aconsejó: "Déjenla, es su forma de calmarse". Yo era, pues, una excéntrica. Pertenecía a una generación de mujeres que no hicieron carrera, frustradas, sacrificadas —alegaba Lorena a mi favor—, era comprensible mi inadaptabilidad.

Una mañana no hubo niebla, al contrario, el cielo se tiñó de rosa. Lo vi desde mi ventana; había resuelto no salir, mi artritis me jugaba algunas malas pasadas y de sentarme en la arena sólo con un gran esfuerzo lograría ponerme de pie. Pero al ver el alba despejada tuve la certeza: "Es hoy". Me vestí a la carrera, con las prisas olvidé la trinchera, mi pantalón todavía estaba húmedo en las piernas por la mojada de la noche anterior, me lo enfundé sin más y salí: el cielo era cada vez más rosa, un rosa tierno que me exaltaba. Me sentí protegida; estaba yo en las entrañas de la tierra, resguardada en sus vetas rosadas, en su vientre, busqué algo dónde recargarme, no vi nada, pensé: "Tengo que clavar la vista en el horizonte, no puedo despegarla ¿en qué lugar exacto saldrá el sol?" Las olas parecían jugar; venían en masa hacia la playa, pequeñas traviesas olas niñas, me invitaban a su ronda, las escuché reír, pero yo seguía aferrada al horizonte, reían, se reían de mí, ella también reía como las olas, jugaba conmigo, su risa una pura espuma, su risa, un destello verde que acompaña al sol.

Imploro el milagro. Salí tan de prisa que hasta olvidé el reloj. Han de ser cuarto para las cinco, diez para las cinco; en el horizonte surge un punto rojo deslumbrante, como el de un piquete de aguja en una carne tierna y sonrosada, un solo punto de sangre; cada vez se hace más intenso, no puedo despegar la vista de él; ahora es un coágulo, sí, eso es, tiene el color de la sangre fresca; cada vez se hace más intenso, se está incendiando; el horizonte está en llamas, el cielo ahora es anaranjado, un polvo de oro cubre el agua; no aguanto el fulgor de la hoguera, tengo que cerrar los ojos, apretarlos un segundo, apretarlos fuerte para hacerlos descansar; el rayo debe aparecer en el centro del resplandor y no logro sostener la mirada. ¡Dios mío no me abandones! ¡Dame fuerza, permíteme hacerle frente a las llamaradas, déjame ver entre ellas el rayo verde, aunque sea el último acto de mi vida! Y de golpe, allí está, lo miro, no lo imagino, revienta como una brújula, lo miro a pesar de mi parpadeo, a pesar de la emoción que me estrangula, es un verde nunca visto, ni en las hojas de los árboles, ni en la jungla, ni en el musgo recién nacido, ni en la vegetación del trópico, ni en la milpa tierna, ni en los retoños, ni en el verde de los mares de Cozumel, ni en el fondo de las aguas más transparentes, ni en la paleta de pintor alguno, pero lo reconozco, es el jade líquido de su risa, un instante, un segundo, una fracción de segundo. Una enorme hoguera ha invadido el cielo, no puedo ver la línea del horizonte totalmente enrojecida pero adivino el contorno del sol que empieza a asomarse. Ahora sí, la sangre ha vuelto a su lugar, la tierra también, el sol ha salido, unas gaviotas graznan y puedo oírlas, un pescador se hace a la mar y puedo percibirlo, las olas se estrellan contra un peñasco, un pelícano, creo, se clava en el agua y vuelve a surgir con algo en el pico. La vida es muy corta. Oigo el agua pero sobre todo la oigo a ella, su voz de prodigioso verde. No puedo moverme, ella me lo impide, debí caer sentada en el momento en que reventó el rayo, no sé. Su voz me advierte que éste es el paraíso. Oigo el gran ruido del mar. El rayo contra mi piel dejó el color de un retoño; esta renovación asciende por mis piernas; siento cómo el ritmo de mi vientre retrocede hasta la niñez, la artritis se escabulle por mis poros como un último rastro de ola sobre la arena, la misma savia que recoge mis pechos, limpia mi cara y me devuelve el cabello adolescente, la boca pulposa, las uñas duras, las manos sin surcos ni cordilleras. Ella jamás creería que mi constancia ha sido tanta que he visto el rayo verde. Pero si por algún motivo volteara hacia el lugar donde me dejó tantos años esperando, encontraría, como una imagen más de las muchas que contiene su recuerdo, a la niña que inmovilizó en la arena con la promesa de la felicidad.

De Gaulle en Minería

Las voces descienden como la lluvia de hojas que cayó en las Ardenas en una sola noche. Los árboles amanecieron desnudos y el Patitas cabizbajo musitó: "Ha empezado el invierno". "Pero si aún no termina el otoño, Patitas" protestó el capitán y su ordenanza volvió a la carga: "La guerra lo tergiversa todo, hasta las estaciones". Ahora también las voces se desploman, yacen a ras de suelo, enredándose en los vestidos largos, las faldas corolas que barren la piedra con su peso y su amplitud, los pantalones negros tiesos por la falta de uso encima de los zapatos de charol que rechinan de nuevos. Las voces siguen el contorno de las mesas redondas cuyos manteles largos le dan familiaridad y gracia a este patio que, sin ellas, se vería demasiado severo; las voces entran por la puerta principal de Tacuba y sólo se detienen ante la alfombra roja donde se hace el silencio; son mil quinientos invitados. Mil quinientos hombres avanzan con el agua hasta la cintura, su fusil recargado en los antebrazos, la luz está cediendo, cada vez se enfría más el agua en torno al cuerpo, habrá que detener la marcha, ordenar que caven las loberas, se metan en ellas hasta el alba; el capitán mira al Patitas. Como es muy chaparrito, el agua le llega hasta las axilas y tiene que sostener su fusil en el aire para que no se le moje, pero su rostro no da muestras de fatiga alguna, ni siquiera se tensa bajo el esfuerzo; al contrario, dice el Patitas que una de las ventajas de su pequeñez es que cava su lobera en un santiamén; cuando los demás palean la tierra es porque él ya ha abierto su lata de Spam, tomado su café, y está a punto de dormir dentro de su agujerito negro hecho a la medida. "Para infiltrarse en las líneas enemigas —piensa el capitán— tengo que enviar a una patrulla en las primeras horas de la madrugada." "Yo creo que hasta esas horas va a durar la fiesta, porque miren, allá en el fondo instalaron una orquesta", exclama Piti Saldívar, su pelo rojo le aurolea el rostro, y tres hombres de frac vuelven la vista hacia el punto señalado por su mano enguantada mientras en torno suyo se yerguen las columnas del Palacio de Minería, grises y blancas, austeras, duras, a pesar de las flores azules, blancas y rojas, y la gran profusión de luces que afilan sus aristas, prolongan la nobleza de sus líneas que detienen la galería superior por la cual se asoman otros invitados que en lo alto gozan del espectáculo. Dice Abel Quezada que todos los meseros de México han quedado sin frac, que los diputados desvalijaron las casas de alquiler y que hasta a los vestuarios teatrales fueron a dar; Rafael Galván alquiló el del Conde Drácula y se ve rete chistoso; dos senadores de izquierda, mejor dicho, de oposición, después de comer cabrito en el *Correo Español* fueron a ver qué encontraban para echárselo encima y ni un esmóquin, háganme favor; entonces corrieron a la calle de Niza a ver a Campdesuñer que, con esta recepción, ha hecho su agosto y le ordenaron un frac pues ya que iban a hacer el gasto mejor que les luciera, al fin y al cabo tendrían que volver a usarlo cuando casaran a su hija si es que la casaban porque la tonta no daba señas de para cuándo y este sexenio era el bueno, ¿verdad compadre?; sí, señor, éste y no otro, porque en la política hay que ser precavido, las cosas pueden ponerse color de hormiga en el momento menos pensado. A De Gaulle lo han anunciado para las ocho y treinta y es muy puntual, dicen que está encantado con México, que el recibimiento en el Zócalo fue más allá de todas las previsiones, la multitud lo ovacionó al verlo aparecer en el balcón presidencial y cuando dijo su discurso en español, la gente se puso a gritar de entusiasmo, de-gol, de-gol, de-gol, de-gol, ge-ne-ral, ge-ne-ral, ge-ne-ral, era el delirio. Nunca a presidente extranjero alguno se le hizo recepción igual; el pueblo entero quería estrecharle la mano: en la valla, unos señores trajeados coreaban: "Francia libre", y hacían ondear la bandera con la cruz de Lorena. De Gaulle se detuvo a besarlos en ambas mejillas de a uno por uno. "Son mis antiguos combatientes", exclamó. Los guardaespaldas tuvieron muchísimo trabajo porque su jefe descendía a cada instante del carro descubierto y en los sitios más expuestos abrazaba niños, los levantaba en vilo y se dejaba envolver por oleadas de mexicanos que se agolpaban en contra suya. ¡Y bien que le habían recomendado que no lo hiciera, que no podían responsabilizarse de movimientos imprevistos!

"Las decisiones se toman allá en lo alto —piensa el capitán—, pero a los que matan son a los cabos. Es bueno que las órdenes vengan de arriba, del alto mando, que los soldados rasos no externen sus juicios, además, la guerra les deteriora su capacidad crítica; los generales se encumbran y sus estrategias y operaciones militares provienen directamente del cielo; a la hora de tomar decisiones son los poseedores de la verdad absoluta, Dios los ha iluminado. Antes de enviar sus tropas y las de los aliados a Garigliano, el general Juin subió a la torre del castillo de bóveda ojival de Sessa Aurunca y rezó; pidió que lo dejaran solo para encomendarse a la Santísima Virgen y a su Hijo Bienamado antes de firmar la orden que al día siguiente mandaría a cientos de hombres al matadero: franceses, polacos, norteamericanos, ingleses, árabes, hindús, canadienses. En los campamentos, cuando los soldados ven el yip de su general sienten que Dios mismo los acompaña en esta nueva guerra santa y que si mueren, morirán como héroes, su victoria es la victoria del espíritu, su muerte tiene sentido, es noble, los hombres del futuro les levantarán un monumento (al soldado desconocido). Contribuyen en los campos de batalla a forjar el destino del mundo, a librarlo del MAL, su general es su buen pastor, capaz de sacarlos de entre los abrojos. Por de pronto, quién sabe quién pueda sacarlos de estos alambrados que rodean el campo minado por el cual han recibido la orden de pasar. Estos hombres son mi responsabilidad directa y tienen más de cuatro meses peleando, continuamente en acción, chapotean en el agua, congelados hasta los huesos. Lo único que han visto durante semanas es el lodo, la nieve y la montaña. Las largas exposiciones al frío, al agua del Rápido por el cual caminamos durante horas, causan tantas bajas como las heridas en el campo de batalla. Y yo sigo recibiendo: orden general de operaciones número 14, fecha 8 de enero de 1944, a las veinte horas, orden general de operaciones número 18, fecha 10 de enero de 1944, a las veintidós horas, orden general de operaciones número 26, fecha... De todos los frentes llegan órdenes *top secret* que tengo que descifrar; mensajes confidenciales que tengo que sepultar y sólo puedo repetirles a mis hombres: 'El casco es obligatorio, el casco es obligatorio' y despacharlos —puesto que soy su oficial de enlace— a las líneas de fuego con la misión de localizar todas las posiciones alemanas. E insistir: 'El casco es obligatorio'."

"Estipularon que la invitación era obligatoria. ¿No te la pidieron en la entrada?" Guadalupe Rivera recoge su vestido en torno a sus piernas. A María Félix le brillan los ojos, le brilla el pelo, le brilla un puma de diamantes sobre el hombro, sonríe como puma, es de Cartier, ojalá y mordiera, ojalá y alguien enloquecierra en esta cena ceremoniosa y un tanto provinciana. Es culpa de los meseros diputados que hacen que las cosas se acorrienten, se parezcan al Casino Militar; también deambulan bajo las arcadas de Minería, militares de paño verde, y galones dorados. ¿Cuáles serán sus hechos de guerra? De Gaulle hará su entrada con el presidente López Mateos, la mesa de honor está en el segundo piso, se tocarán casi inmediatamente los dos himnos y luego vendrá el besamanos. "¡Qué gusto, hace tanto que no te veía!, la última vez estabas muy desmejorada, pero ahora luces radiante"; así el capitán irradia autoridad en medio de sus hombres; las balas pueden rozarlo, perforar la carrocería de su yip y él sigue diciéndole a su ordenanza Patitas: *"Allez, t'occupes pas, t'occupes pas"*, bajo el aire pespunteado por el tableteo de las ametralladoras. "Tenemos que proseguir la ofensiva." A Patitas le gusta verlo con su cigarro sin prender pegado a la punta de los labios, examinar un mapa y sacar otro, cotejarlo, tomar notas en una pequeña libreta forrada de cuero, preguntar si sirve el radio que nunca funciona porque los alemanes cortan todas las comunicaciones y cuando enciende el aparato, curiosamente se escucha, en medio de la nieve, música alemana: esas absurdas, exasperantes canciones tirolesas. El capitán entonces enciende su cigarro y entrecierra el ojo derecho para que no le moleste el humo porque jamás se saca el cigarro de la boca y allí está verificando las operaciones de combate *top secret (until departure for combat operation when this sheet becomes restricted)* y apunta: Baie de Cavalaire, radar, aeropuerto, número de playas, nivel del agua, profundidad, objetos no identificados, vía férrea, pistas en el bosque, senderos, posición de los campos de tiro, número de armas, puentes, revisa una y otra vez, meticuloso, calcula kilómetros, hasta qué punto pueden avanzar sin demasiadas bajas. Escribe nerviosamente el cinco, lo hace como una r, y sólo Patitas lo entiende. Luego se pone a caminar junto a su tanque o a la tienda de campaña como león enjaulado y pasa sus dos manos, según su costumbre, dentro del cinturón, presionando su vientre y allí las mantiene, aplanadas. Entonces Patitas sabe que su capitán se dispone a dar una orden, que dentro de poco les dirá a todos que van a salir y el sargento Murphy correrá de lobera en lobera gritando arriba los cuates, no hay tiempo que perder, ya llegaron las muchachas o algún chiste parecido.

Top secret. Son las cuatro de la mañana, es la hora de nadie, estoy solo con mis hombres que aún no despiertan, Patitas ha abierto un ojo y finge no verme, pero sé que al menor movimiento saltará junto a mí adivinando mis pensamientos, sé que si no precipitan las cosas, muy pronto tendré que enfrentarme a la mañana lechosa, al alba que revela los contornos, los evidencia. Si logramos inspeccionar el campo enemigo y regresar antes de que amanezca podré entregar un reporte sobre sus posiciones, pero ese fulgor allá a lo lejos me intranquiliza, ilumina no sé cuántos kilómetros a la redonda, deben estar bombardeando; mañana los caminos estarán atascados de carretas de campesinos huyendo con sus enseres, todavía creen en la vida, pobres. "Qué precioso —dice Mimí Riba de Macedo— y yo que no pensaba asistir; le dije a Pablo que viniera solo, porque ya no aguanto los embotellamientos y luego no hay un solo lugar dónde estacionarse, pero, qué bueno, me hubiera perdido este espectáculo."

No hay un solo árbol en la falda de Monte Cassino, según los campesinos la primavera fue tardía y no tuvo tiempo de florecer porque a fines de septiembre empezó a soplar un viento frío que vació de hojas los árboles. Avanzo lentamente dentro del lodo, mi rifle entre los brazos como un hijo, hace un frío atroz pero, claro, estamos en guerra; los árboles sin follaje se yerguen como dardos negros, la nieve está sucia, no hay escarcha; oigo el ruido de las botas de otros que caminan en el agua pero no vuelvo la cabeza. Un sargento, ha de ser Murphy, masculla: *Get you fucking ass out of the way* pero tampoco me vuelvo. Quizá sea Gregory el que camina allá adelante, pero no tengo fuerza para alcanzarlo. Los alemanes impidieron la entrada de los tanques al inundar el valle de Cassino. Cada vez que se lo proponen minan un borde del río Rápido y ya está, se desborda; la última vez, como no les pareció suficiente, volaron una presa; toda la cosecha se ha perdido, esto es un pantano, veo las pobres matitas flotar, ahogándose en el lodo. Arriba de la montaña, absolutamente solitaria y ajena a todo, permanece la Abadía de Monte Cassino, negra dentro de la grisura de la mañana. Es enorme y arrogante, y la larga extensión de sus muros está agujereada por hileras de pequeñas ventanas que parecen troneras. Impide nuestro paso. De nuevo oigo la voz: *Fuck you* y luego *Shit*; quisiera sonreír, pero el frío me golpea la cara. En su equipo de guerra los gringos no trajeron más que unas cuantas palabras: *Shit, fuck you, ass hole, son of a bitch* y las repiten una y otra vez, yo también podría decirlas obedeciendo a mi mitad gringa pero me conformo con sonreír. En cierto modo, este languaje escatológico de colegiales en medio del pantano, me levanta el ánimo. Los gringos han venido a desacralizar la guerra. ¡Cuánto frío en las piernas, cómo cala esta cochina agua de río!, por eso los norteamericanos resultan saludables con su lenguaje grosero, salpicado de mentadas de madre, exento de filosofías y de idealismos. Lo hacen a uno bajar a la tierra, el frío es mierda, el lodo es mierda y el café que se intenta calentar sobre una lamparita de alcohol protegiéndola con el casco, también es mierda. Cuando llega a entibiarse es porque el sargento Murphy pasa gritando: *Get mooving, get your fucking ass out of there* y tienes que apagar la lamparita con los dedos, ponerte la canadiense, salir de la lobera en la que por fin te habías acomodado; por eso lo único válido son sus malas palabras, su manera de decirlo todo sin el menor recato, hasta de qué manera cagaron, su capacidad absoluta de comunicación: leen en voz alta las cartas de sus esposas, de sus amigas, comparten sus cigarros, los paquetes que les envían, de todo dan santo y seña, ríen como locos ante la perspectiva de robarse una botella de coñac e inmediatamente se les sube; son niños estos gringos, absolutamente infantiles, hasto los del Alto Mando, ¿no fueron a ponerle *Operación Mickey Mouse* a una operación de combate? Reducen su vida y su muerte a un ratón con pantalones. No tienen el menor respeto por la jerarquía —y nosotros los europeos tanto que la cultivamos—, creen saberlo todo mejor que los demás, se lanzan cada uno por su lado y regresan llorando gruesas lágrimas de niño, con verdaderos mocos de niño, un brazo de menos o la pierna volada en terreno minado. ¡Oh Dios!, cada hora que pasa siento esta agua más fría, seguramente la recorren gélidas corrientes subterráneas. los nazis atrincherados se han de reír a carcajadas de vernos pisotear el suelo como animales, qué confortables y qué calientes deben estar parapetados allá arriba apuntándonos, cazándonos como moscas. Otra vez la ráfaga de ametralladora, otra vez el silencio. "Son intermitentes" diría el sargento Murphy tan preciso en sus reportes. También oigo silbar; hilos rosas y azules de balas trazadoras pasan encima de nuestras cabezas; felizmente pasan demasiado alto, nos encontramos bajo fuego y a descubierto, zumban las balas y las groserías que mascullan los gringos que pasan corriendo junto a mí, ah qué gringos estos, *shit, shit, shit,* luego se hace un espantoso silencio. La orden es llegar al río y cruzarlo, armar las pasarelas y echarlas encima del agua, así a descubierto y bajo fuego. ¡Fácil! Ahora sí que *bullshit,* les embarro su mierda de toro en la cara; además este lodazal espesamente sembrado de minas, va a hacernos volar a todos si logramos acercarnos siquiera al Rápido. Si sólo nos tiraran desde lo alto tendríamos alguna posibilidad, pero tiran desde esos bancos verticales en el río que alcanzan hasta un metro de altura arriba del nivel del agua, estoy seguro de que hay nazis pertrechados tras de esos bancos de arena, pondría mi mano al fuego de que allí los apostaron; aquí hay nazis donde quiera, hace semanas que se están preparando y no me asombraría que tras de las celdas de los monjes hubiera un soldado apuntándonos porque los tiros vienen de la Abadía de Monte Cassino y también le tocan al pueblo de Cassino, pobre pueblo tan fregado o más que nosotros. Los primeros días vi campesinos, pero ahora solamente han quedado los viejos que no salen de sus casas; nadie podrá moverlos, sólo la muerte y quizá ni ella. También en los primeros días oía yo el cencerro de las vacas, pero ahora ni los pájaros cantan, apostaría una botella a que hay un nazi aquí a treinta metros. Las nubes que siempre presagian la tormenta barren la fortaleza, es tan alta que pasan frente a sus muros, oscureciéndolos; ésta parece entonces desafiarnos; a ver, suban, pendejos, soy la torre guardiana del camino a Roma, estoy enmedio de su guerra. Si tuviera humor, podría hasta contar las nubes que pasan frente a sus muros...

"No le hubieran puesto nubes a los ramos de centro de mesa —dice Lorenza Romandía—, ¿por qué mejor no lirios, azucenas? La azucena es emblema de Francia, *le lis, ma chère,* qué buen detalle, pero a nosotros los mexicanitos no se nos prende el foco." "Pero si todo está ideal, ideal, ideal —repite entre sonrisas Bebesa Martínez del Río de Corcuera envuelta en una gran capa de satín—, estos centros de mesa son lindos: pinceles, nubes, claveles, mira, recuerdan la bandera de Francia, yo también estoy de rojo." *"Obvious, my dear",* ríe Lorenza sobre quien se precipitan tres pingüinos tropicales.

Top secret: ¿De qué sirve una fuerza aérea si el tiempo no permite que los aviones despeguen? ¿De qué sirven los tanques si no pueden avanzar dentro del agua? Aquí estamos al borde del Rápido bajo fuego directo: la mayoría de nuestras barcas han sido hundidas en el momento de hacerse al agua, otras se fueron girando corriente abajo, las más se voltearon mientras los hombres trataban de subir. De las pasarelas que llevábamos, una salió defectuosa, otra fue destruida por las minas y el enemigo tiró las otras dos que se fueron río abajo, cuando intentábamos echarlas.

Con los restos de las cuatro, el ingeniero Gallagher y sus hombres lograron ensamblar un puente que duró lo suficiente para que pasaran dos compañías; pero los que atravesamos, estamos cercados, sin comunicación con las tropas que quedaron del otro lado, de espaldas a los alemanes que nos ametrallan, frente al río que no podemos volver a cruzar; los nazis están barriendo con nosotros, con la luz del día su campo visual se ha ampliado, y así como localizaron los puentes, así nos están borrando del mapa. Cada vez que disparan cae un hombre. Mis hombres, o lo que queda de ellos, han corrido a refugiarse bajo la falda de la montaña, cualquier cueva es buena, cualquier roca; allí se acurrucan; se llevaron sus municiones, al menos las que pudieron rescatar; no queda otra más que esperar la noche, y cuando podamos, intentar subir, si todavía estamos en vida. No hay un solo alambre de teléfono, lo único que puede ayudarnos es la neblina porque nadie vendrá a nado a rescatarnos; nunca debimos atacar la montaña en su flanco derecho; la única posibilidad era la izquierda, lo vi claro, muy claro, pero...

"Te apuesto a que va a haber crepas con huitlacoche, es el plato fuerte de Mayita, y además, es de temporada. O sopa de hongos, o crema de aguacate, o de piñones, folclórico, folclórico, para que el general pregunte: *Qu'est-ce que c'est que cela?, ca mon Géneral, c'est du poulet au chocolat.* ¡Cuánto te apuesto!" "¡Ay, no te hagas, ni modo que den *Quiche lorraine,* si ésa la come en Francia. Los menús están sobre las mesas, así que es fácil enterarse; lo que sí puedo garantizarte es que el champagne correrá a pasto, como dice el Duque de Otranto. Después queremos ir al Bamer, Xavier Barbosa, James Ross, Ginny Landa, Maruca Palomino, Norma la güera, los Souza, todo un grupo ¿no quieres venir? Vamos a reponernos de esta solemnidad. Sí, sí, va a ser cosa de las cuatro de la mañana, si quieres te invito a desayunar a la casa unos huevos revueltos deliciosos; ni creas que despierto a los criados, yo soy la que me meto a la cocina...

—Mira, allá va mi sartén.

—¿Cómo que tu sartén?

—Sí, en ese Spitfire va mi sartén y seguramente mi olla para hervir papas.

Las inglesas levantaban los ojos durante la Batalla de Inglaterra y sonreían a sus pilotos que como los caballeros andantes del Santo Grial llevaban un pañuelo de amor sobre su pecho, una bufanda blanca en torno a su cuello, un talismán, unos guantes tejidos o unas orejeras de buena suerte. Las amas de casa entregaron toda su batería de cocina de aluminio para la fabricación de los Spitfire y de los Hurricane. *"Speed is vital"*, *"Keep them both flying"*, rezaban los carteles que además de aviones, mandó hacer lord Beaverbrook. Los ingleses tenían 820 aparatos que enfrentaron a los 2 600 aviones de caza y bombarderos de todo tipo de la Luftwaffe. Y acabaron con ella. "Churchill —dijo De Gaulle—, es un talento político superior."

Se viene un cansancio animal, ahora sí, apenas si puedo poner un pie delante del otro, no avanzo, me pesan demasiado estas piernas, se rehúsan; lo mismo sucede con la espalda, son los alambrados los que se me han enrollado en torno a la columna vertebral, en torno a todo mi cuerpo agujereándolo, siento dos puñetazos, mis dos riñones y esos dos golpes se repiten en los omóplatos, percibo cada una de mis juntas, con qué estará conectado mi cuerpo Dios mío, que me dejen aquí descansar; alguien me jala: *"get going, buddy, keep on walking"*, vaya alguien que habla un inglés normal, voy a soltar el rifle, no puedo sostenerlo, hace horas que dejé caer la mochila quién sabe dónde, ya no siento el rostro, Dios cómo se me encajaba la mochila en la espalda y ahora que la tiré, ningún alivio, o nunca llegué a tirarla; sigo sintiendo esos dos golpes a la altura de los brazos, la quijada me dolió durante horas de tanto apretarla, creo que ahora ella se me ha caído con la mochila; los dientes los sentí de piedra, es tremendo que le pesen a uno los dientes pero ahora ya ni los siento, no me siento ni a mí mismo, creo que la nieve me congeló y los alemanes cazándonos desde sus madrigueras, yo debería correr como corrí hace un rato rumbo al río, a campo traviesa, sin importarme el fuego, pero ahora alguien me está remolcando, me ha agarrado de la cintura, su mano en mi cinturón y me habla de mi culo, que mueva mi culo apestoso, que saque del camino mi culo estorboso, que si quiero darles el culo a los *krauts,* gringos hijos de su mal dormir, a éste le van a dar por gritón, ya le dieron, no a él no, a mí, a mí me han dado y es lo primero caliente que siento en todo el día, esa sangre mía que escurre como un buen caldo por mi pierna, me han dado, sí, ahora podré dejarme caer, nadie lo impedirá, ningún gringo tiene derecho a gritar que mi culo y que la mierda, ahora sí, a descansar, a dormir...

"¿Qué De Gaulle es aficionado a la sopa, como todos los franceses?" "No lo creo. Su única afición es Francia, mejor dicho, la gloria de Francia. Dicen que no tiene vida personal; su mujer siempre está sola pero a diferencia de las mexicanas, jamás se queja. Y tampoco habla de niños y nanas como decía Ira Furstenberg de Hohenlohe." "Oye, si a Ira, nadie le pidió que viniera, y si no le gusta México, que se vaya." "¡Mira, cómo se asoma Wanda Sevilla por el barandal para ver si llega Pedro, mira qué loca, se va a caer! ¡Qué loca, pero qué guapa!"

Un avión cayó en picada y a pesar del incendio, el capitán dio órdenes de arrancar. Patitas siguió con el yip, el capitán había decidido viajar con sus hombres porque quería hablar con ellos. Levantarse a las cuatro de la mañana y subirse amodorrados para salir de expedición une a los hombres. El capitán los ve entrar con los pelos parados, las camisas arrugadas y recargarse los unos en los otros, encoger los pies para volver a la posición fetal, queriendo prolongar el sueño, sin poder hacerle todavía frente a la realidad: es la guerra, está nevando, hace frío, el camión huele mal, hay que tener la energía suficiente para evitar el aliento fétido del sargento Murphy, cuya boca siempre huele a caño. ¡Cuánto daría el capitán por ofrecerles un buen café pero sólo puede pasarles la tableta D, ese chocolate empalagoso y vitaminado que muchos llaman la batalla de Hitler porque parece el peor de los azotes! Cuando el camión arranca todos caen, los unos encima de los otros, hombros con cabezas, codo con codo; "pobres diablos, están muertos", piensa el capitán, ni un *blietzkrieg* los haría reaccionar, el camión se estremece, tiemblan sus paredes de lámina y no hay un solo gruñido entre los tripulantes, siguen durmiendo y sin embargo entra un frío terrible. Entonces, el capitán decide: "Voy a enviar un comunicado, mis hombres tienen que descansar, ya no están peleando, nada les importa, deben reponerse, son hombres, carajo, no es posible tratarlos como a ganado, carajo".

"Deberían limitar las invitaciones. Dime nada más ¿qué diablos importa la presencia del embajador de El Salvador?" "Y qué, que se sienta." "¿Tú crees que los franceses saben siquiera dónde está San Salvador? Todos estos paisitos chiquitos son una lata, el puro subdesarrollo; deberían agruparse en un gran país: Uruguay, Paraguay, Nicaragua, El Salvador, Guatemala, y luego de Perú para abajo." "Bueno, yo casi metería a Perú y a Chile. Están hundidos, no tienen salvación, son los condenados de la tierra, ni un petate en qué caerse muertos, pero eso sí, ¡mucha representación diplomática!" "Y mírala nada más, mira qué cursi la embajadora con su crepé y su vestido ceñido, mejor no miro, porque se me va a notar."

De pronto, una ráfaga de ametralladora rompió el silencio. Seguí caminando con Dick a mi lado, luego pensé que era una imprudencia y le grité:

—Tírate.

Él no se tiró, cayó.

—Me dieron —me dijo y repitió con voz más débil—: me dieron.

Me acuclillé a su lado y lo recargué entre mis brazos, su cabeza contra mi pecho. Metí la mano en su camisa, la herida era grande: un boquete; le tomé el pulso, él no decía ya nada, su corazón latía cada vez más débil y así, en un segundo dejó de latir. Aullé:

—¡Un médico!

Después de un siglo se acercó un socorrista en medio del silencio, porque ya no se oía una sola ráfaga de ametralladora; parecía haber huido satisfecha de su hazaña. El socorrista le tomó también el pulso, y simplemente le quitó a Dick su pulsera de identidad.

Entonces a mí me entró una cólera violenta y profunda. Me eché a andar tras del socorrista que muy pronto se internó entre los árboles y en el momento en que empecé a caminar, se avivaron las ametralladoras. Levantaban pequeños copos en la nieve, un polvo blanco navideño y pensé: sí, es cierto, debemos estar cerca de Navidad, o pasó o está por pasar, y dentro de mí flotó la canción de Irving Berlin que no me gustaba especialmente, pero que los soldados tarareaban mucho en el cuartel: *I'm dreaming of a white Cristmas just like*... Y yo también empecé a cantar y antes de darme cuenta cabal de lo que hacía, estaba cantando a gritos.

"No sabes qué orquesta tan padre la del Jacarandas, es un francés el que canta *Douce France, La Seine, Danse avec moi, Que reste t'il de nos amours*?, André Toffel, yo no he ido pero fue Gloria y dijo que la pasaron a todo dar, fueron con Jaime Saldívar y con Quique, Diego y Genia, Norma y Alejandro. Chapetes los alcanzó después, sólo que el whisky es muy malo, no se miden, veneno puro, Florencio por poco y se muere, pero vamos con Magda Pedrero y Gerardo y la Cuija, está divina la Cuija, no sabes, como nunca de guapa. ¿No vas a ir al Aztlán a la fiesta de May Limantour el lunes? Oye y aquí, ¿no va a haber variedad?" "¿Qué más variedad que De Gaulle?" "En las recepciones oficiales nunca hay show." "Óyeme, no, chiquita, te equivocas, yo he ido a varias y siempre sale Lola Beltrán o María de Lourdes o Flor Silvestre, así es de que sí. Además, parece que iban a soltar pa-

138

lomas desde arriba a la hora de los postres, pero se arrepintieron porque... Lástima, lástima, se hubiera visto bonito que las palomas revolotearan encima de las mesas..."

Una noche bajaron los paracaidistas en la oscuridad del cielo; primero pasaron los aviones, luego los vi a ellos como grandes flores blancas y lentas; de ser más, hubieran podido cubrir una parte del cielo, pero eran menos de los que yo esperaba, siempre fueron menos; me habían dicho que mandarían a un destacamento y apenas si logré reunir a quince hombres y, sin embargo, en un momento dado, estos quince saltando al unísono taparon el cielo. Apenas tocaron tierra, soltaron las amarras de sus muslos para recoger el paracaídas, pero en el aire, el viento dispersaba las grandes flores, un viento helado que los alejaba a más de mil metros, dos mil, tres mil los unos de los otros cuando yo había calculado reunirlos en quince minutos. Después, al ver su torpeza me di cuenta que era la primera vez que muchos de ellos se tiraban: ¡Qué bárbaros, qué manera de hacer las cosas! Y ahora, ¿cómo voy a llevar a cabo la misión con este equipo lamentable? Cada vez que el avión pasaba, florecía la noche con los paracaídas, pétalos blancos flotantes vueltos sobre sí mismos que descendían despacio mientras yo me tragaba mi angustia. *Good God*, seguro los vieron los alemanes. ¿No creerán que son gigantescos copos de nieve, verdad? ¿Por qué no les tiran los alemanes? Será que no vale la pena, son demasiado pocos, no les importa, estos aliados nunca mandan suficiente gente y ahora me van a salir con que no hay paracaidistas y yo ¿qué puedo hacer con este puñado de hombres temblorosos que hasta los alemanes desdeñan? Me miran como perros y aguardan mis órdenes, o ¿qué diablos esperan? Como perros sí, sólo les falta mover la cola, los van a cazar en un segundo, apenas echen a correr, miren éste cómo se ha enredado en su paracaídas, milagro, jaló el cordón a tiempo, mejor se hubiera estrellado, qué incompetentes tipos, embarrado su cerebro en el suelo; imbéciles, cómo voy a llevar a cabo la misión, cómo se atreven, y a eso le llaman guerrear, *shit*.

El capitán oyó un silbido agudo y se aventó al suelo. La explosión sacudió la tierra y se vio envuelto en una nube de polvo. Al levantarse miró en torno suyo, puertas y ventanas del granero en el cual había citado a los paracaidistas estaban en pedazos. A varios kilómetros a la redonda, la neblina nocturna se iluminó en una gigantesca explosión de fuego, de fierro y de humo; por un segundo se vieron nítidamente los valles y las colinas; los pinos

139

cubiertos de nieve tiritaron y dejaron caer sobre la tierra nubes de polvo blanco. Centenares de tanques estremecían el suelo al echarse a andar, percibió el ruido de sus motores y el cliqueteo de las cadenas mientras otras explosiones sordas de los cañones pesados sobre rieles daban en el blanco. "¡En la madre! —pensó—. Sólo nos falta la Luftwaffe con sus obuses. Atrás, atrás —los perros, perdón, los hombres miraban sin comprender—, tenemos que regresar a las líneas aliadas, lárguense, les digo, esto es una equivocación monstruosa, los alemanes están encima de nosotros, qué patrulla ni qué nada, qué infiltrarnos en las líneas enemigas si los enemigos están aquí en nuestras narices." Uno de ellos corrió como alma que lleva el diablo y los demás lo fueron imitando; tras de ellos el capitán alcanzó a llegar a un puesto de mando de batallón y vio cómo varios oficiales apelotonados escuchaban estupefactos el ruido continuo, como el redoble de un tambor, de los tiros y las explosiones y el avance de los tanques y los carros-tanque cada vez más cercano a las trincheras aliadas. "Es una celada de los alemanes. Hemos caído en su trampa. Ahora sí —pensó el capitán—, ahora sí me cae que acabaron con nosotros." Automáticamente miró su reloj; eran las ocho treinta.

—Las ocho treinta. ¡Qué gusto verlo capitán —dice Jaime Torres Bodet—, y qué bien se ve! Para usted ha de ser un gran día éste, capitán, porque usted conoció al señor general De Gaulle; según tengo entendido, estuvo entre los primeros en irlo a alcanzar a África, peleó a su lado. Así es de que ésta es una espléndida oportunidad para volver a saludarlo. Lo felicito, es un hombre admirable, un visionario, un paradigma, uno de los grandes de nuestro siglo. ¡Cómo supo adelantarse a los acontecimientos! Comprendo su emoción y la comparto, capitán. Realmente, este gran viejo salvó a Francia, salvó su honor, recobró para ella la grandeza perdida. Señora, perdóneme, no la había visto; es por la emoción de saludar a su marido, siempre me conmueve su presencia y con mayor razón ahora, un héroe de guerra, mire nada más cuántas condecoraciones: las de dos ejércitos ¿verdad? El francés y el norteamericano. ¿Estuvo usted en la *Fifth Army* o en el *Seventh Army,* capitán? ¿Es su hijita? Pero cómo ha crecido. Estoy en la mesa del embajador de los Estados Unidos y aún no la he buscado, allá me espera mi mujer, me despido de ustedes porque no ha de tardar el general De Gaulle y como hay mucha gente, prefiero...

En un momento dado, toda Europa estuvo cubierta de *krauts.*

Aguantaron mucho. Thompson me contó que hizo prisioneros a unos que andaban patrullando, dos de ellos motociclistas y que tenían las mejillas hundidas, el rostro demacrado de tan flacos y que eran jovencísimos; allá los reclutan a los diecisiete años y con el estómago vacío. Allá sí saben lo que es disciplina, aquí el único oficial que la aplica verdaderamente es el propio Thompson. Ayer un hombre se le acercó con todo el rostro cubierto de sangre y le gritó:

—¿Qué no le han dicho que deje a un lado el exhibicionismo? Límpiese cabo.

El soldado se llevó la manga de su saco a la cara y se limpió de la frente para abajo. De la herida en la ceja manó más sangre. Entonces aulló el oficial Thompson:

—Pues lárguese al puesto de socorro y que lo curen, cabo, o ¿qué está usted esperando?

Ahora sí ha entrado De Gaulle, salva de aplausos, salva de guantes blancos, los cadetes lo precedieron y se formaron en dos hileras a un lado de la alfombra roja, tiesos, marciales, López Mateos sonríe, Manuel Moreno Sánchez prolonga los vivas, Andrés Henestrosa le hace segunda. De Gaulle se adelanta sobre la alfombra, todas sus condecoraciones sobre la pechera izquierda de su frac, se ve mejor de militar, el kaki le sienta; y las esposas: Yvonne, modesta, los ojos bajos, Eva y Ave peinadas de salón; ahora sí los invitados se ponen en fila porque dentro de un momento subirán en orden al besamanos; una oleada de solemnidad recorre Minería después de que se escuchan los dos himnos; los invitados se forman, las mujeres preceden a sus maridos y algunos de ellos ponen su mano conyugal sobre la espalda desnuda; platican entre sí en voz baja, respetuosa. Extrañamente, el patio del Palacio de Minería se ha vaciado para convertirse en una sola fila, larga, estrecha; este gusano que va subiendo por la escalera en riguroso orden, peldaño tras peldaño, ceremoniosamente. Las mesas son novias abandonadas con su ramo redondo de colores, único manchón en su blancura; los pasos casi no se escuchan, sólo avanza el gusano, lento, lento, por la escalera, mujer, hombre, mujer, súbitamente cohibidos, conscientes de la trascendencia del momento porque a medida que avanzan todos guardan silencio...

"¿Te sientes bien? —pregunta mi mujer—, te has puesto muy pálido. ¿No quieres que nos sentemos? Dejamos a la hija en la fila y la alcanzamos cuando esté más cerca." "No, no, no es nada, estoy bien." Pero no estoy bien. Me tiemblan las rodillas como nunca me temblaron en el campo de batalla. ¿Qué le diré cuando me acerque a él, cuando me dé su mano fuerte, generosa y pueda yo estrecharla? ¡Cuánto coraje le dio ver a los alemanes pisoteando la patria, qué dolor tremendo para él, y qué rabia constatar la debilidad, la desorganización, el entreguismo de su gobierno, el ejército derrotado de antemano, los ciudadanos azorados ante lo que veían: los soldados alemanes en las calles de París! De Gaulle tomó la acción por su cuenta, hizo suyas las decisiones, claro era personalista, en la acción no quería más impronta que la suya pero estaba dispuesto a afrontar solo el destino, pasara lo que pasara. Todo lo hizo con la pasión exclusiva que caracteriza al jefe. Recuerdo, sobre las carreteras del norte, los lamentables convoyes de refugiados; De Gaulle los vio y sobre todo, miró con detenimiento a los numerosos militares desarmados por los *panzers* que a las primeras de cambio, pusieron en desbandada a las escasas tropas francesas. Incluso en su huida, destacamentos mecánicos alemanes alcanzaron a los franceses y les dieron orden de tirar sus fusiles y caminar hacia el sur, pero rápido, para que no estorbaran, no fueran a embotellar las carreteras. "No tenemos tiempo de hacerlos prisioneros —gritaban los alemanes—, ustedes caminen", qué vergüenza, qué gran vergüenza. De Gaulle lloraba de rabia, los alemanes entraron a Francia a la hora que les dio la gana, ni ellos mismos esperaban que fuera tan fácil, "la línea Maginot resultó ser de mantequilla" dirían después, los *stuka* bombardearon en picada y en una tarde acabaron con los tanques, los franceses no tenían nada con qué responder.

—De veras, ¿no quieres sentarte? Sigues muy blanco.

—No, no —se irrita el capitán—, déjame en paz.

—Sí, papi —tercia la hija—, no tienes buena cara. ¿Qué te cuesta sentarte un momento? Yo permanezco en la cola.

—No, no, es el calor, es la gente, es mucha gente.

"Demasiada. A De Gaulle se le va a caer la mano." "A mí me hubiera gustado que mi hijo estrechara la mano de De Gaulle, qué gran cosa para el niño, pero ni modo de traerlo aquí porque no lo hubieran dejado entrar, y en el zócalo, imposible."

En la infancia, en la gran casa paterna, el capitán percibía a veces ruidos que lo inquietaban, y de grande, sentado en la biblioteca en medio del más perfecto silencio, escuchaba de pronto cómo el sol hacía tronar la madera dos o tres veces o cómo el agua sonaba en las tuberías. Esos ruidos, sin embargo le eran familiares y en cierto modo reconfortantes, la casa no se iba a venir abajo por ellos, pero los ruidos del campamento, cuando cesaba el atronar de la fusilería eran desquiciantes y lo ponían al borde de la histeria. Este gran silencio amenazante y nevado entre fuego y fuego lo enfermaba. Prefería escuchar el golpe sordo de los cañonazos que hacían retumbar la tierra que el silencio impresionante que podía cortarse con cuchillo. Entonces, sentía unas terribles ganas de sollozar, de salir corriendo de la tienda con tal de oír el sonido de sus pesadas botas moviéndose sobre la nieve.

—¡Patitas!

—Sí, mi capitán.

—No, no es nada.

Me dio por llamar al Patitas sólo para cerciorarme de que estaba ahí y mirar un instante sus ojos de hombre bueno, interrogantes siempre. Me di cuenta que estaba yo cansado aquel día en que detrás de la barricada, allá cerca de los árboles, vi una sombra moverse; claramente vi el casco alemán, entonces me fui reptando, el fusil apoyado entre mis codos, las granadas en la cintura y se me hizo un blanco en la mente, tan blanco como la nieve sobre la cual me arrastraba. "¿Qué estoy haciendo? ¿A dónde voy?" Tenía yo esos ataques amnésicos cada vez con más frecuencia, se me olvidaba dónde estaba (claro, nunca lo sabíamos bien a bien) y cuál era mi objetivo, quizá por hallarme bajo tensión, pero estos blancos a la mitad de un reconocimiento me sacaban de onda. Allí tirado, a medio camino, recordé las palabras de Hyde, una noche que tuvimos la suerte de dormir bajo techo y en literas: "Nos tratan como a gusanos; cuando no estamos en loberas cavadas bajo tierra, ¡y qué chingados cuesta cavarlas en ese pedregal endurecido por la nieve!, reptamos sobre la tierra, arrastrándonos sobre nuestro estómago, nuestros huevos, para llegar quién sabe a dónde, a capturar a un enemigo que seguro se está cagando de miedo como nosotros, pero hay que seguirle, el culo al aire, porque si nos detenemos y nos damos la media vuelta los que nos dan en el culo son ellos, y con qué saña". Seguí avanzando mecánicamente hacia la palizada, ya no se oía ruido alguno porque empezó a nevar y vi los copos, uno de ellos cayó sobre mi guante y pensé: "Parece una flor; es de azúcar o de sal, pequeña joya resplandeciente, me gustaría examinarte bajo un microscopio, pulir tus facetas, porque tienes facetas". Lo vi espejear, miré sus fulgores y me dio una sensación de paz y de seguridad. Desde la infancia, me gustó abrir la puerta de mi casa y ver la nieve dulce que había caído durante la noche y envolvía mi casa y la de los vecinos en un manto de silencio y blancura. A ningún hombre se le ocurriría hacerle daño a otro en semejante ambiente, la nieve nos inspiraba confianza, nos hermanaba; me entristecía tener que quitarla del camino frente a mi puerta para poder salir y metía la pala con muchos miramientos tratando de no ensuciarla al acumularla en los lados.

—¡Qué enorme es esta cola y qué tardada!

—Es que ha de hablar con todos.

—No, no es eso, son muchas las personas. En todo caso, avanza tan despacio que es desesperante.

—Ni modo de apresurar el paso, no estamos en la guerra.

—No vayas a olvidar recordarle que comiste con él en Túnez —advierte mi mujer y asiento con la cabeza, pero todo lo que había preparado se me borró, no sé qué voy a decirle a la hora de tenerlo en frente y tomarle la mano. En realidad donde comimos fue en Argel: Giraud, Catroux, Palewsky, Boislambert, Linares, Beaufre, d'Argenlieu. A mí apenas me estaba creciendo el pelo porque acababa de salir de la cárcel de Jaca, después de atravesar los Alpes. Todos los días salimos a entrenar a Lourdes para poder escalar la montaña, las primeras veces resoplaba como dragón, el viernes 26 de noviembre de 1943, partiríamos del patio de arribo de la estación de Atocha. Madame Borderes cosió monedas en mi saco, dentro del forro, a todo lo largo; iba a necesitarlas para pasar a África, pero lo que más me pesaron fueron las latas, con razón, me dijo Hardouin, sólo a ti se te ocurre, un poco de pan, un poco de queso, parece que no lees las instrucciones o si las lees las interpretas a tu manera, con ese bastimento no vas a poder, y ese traje tampoco es el apropiado, dijo mirando mi príncipe de Gales, pero yo le expliqué que lo había hecho a propósito para despistar, no vas a poder, vas a tener que tirar todo eso, bueno ni modo, otro se beneficiará con mis provisiones, son muchos los que atraviesan los Alpes en este momento, óyeme qué zapatos, yo te hablé de suelas gruesas, sue-las-grue-sas y tú te me presentas con mocasines, yo no puedo garantizar que lleguemos salvos y sanos al otro lado, por ahora vamos a esperar la noche en un granero cerca de Pau para no alertar a la Gestapo; nuestro convoy saldrá a las tres de la mañana y si no lo logramos estaremos bajo el control de las autoridades españolas y de la policía.

Acabamos en Jaca, éramos miles entre extranjeros y presos comunes. Dormíamos en el suelo. A Hardouin no le picaban los piojos, pero yo pasaba la noche sin dormir; me rasuraron la cabeza

144

dos veces, qué digo, tres; la tercera unos días antes de que saliera de la cárcel; Hardouin asentaba: "Tienes sangre de piojos". En la mañana a la hora del saludo a la bandera, en vez de gritar: "Viva Franco", gritamos: "Viva Salop", nos agarraron, me tocó limpiar las letrinas, vaciar los botes, metido en la mierda hasta los codos, a ver, a ver, para que sigas haciéndote el gracioso. Salí una tarde; en la puerta me devolvieron mi traje y mi abrigo; no se dieron cuenta de las monedas en el forro y pude partir a África. Vinieron los meses de entrenamiento, el cuscús, el encuentro con los aliados, mis misiones secretas de enlace entre los dos ejércitos, mi ascenso a capitán; en los *Headquarters* de la *Seventh Army* me entregaban a gritos documentos *top-secret* y bromeaban: *"Beware of foxholes", "Look out for the AA", "Bring me back a french girl"* y entre tanto, advertían:

—Tienes que guardar estos papeles en permanencia sobre tu persona.

—¿Y si nos agarran?

—Te los comes, saben mejor que las raciones K. Oye ¿qué tú no les vas a los Dodgers?

En Túnez, para entrenarnos, para hablar, simplemente para estar juntos, caminábamos mucho Taitinger y yo, y en una de esas vimos a un árabe acuclillado que leía la buena ventura haciendo dibujos sobre la arena. Taitinger fue el primero en acercarse: "Usted va a tener un accidente". Enmudeció. Le dije: "No te fijes, Totó, esos árabes de lo único que saben es de camellos y de sacar dinero". Pero el árabe nos echó a perder la mañana; veníamos de comer y estábamos contentos. En los *Headquarters,* al ir por sus órdenes, Taitinger me dijo bruscamente.

—Vámonos despidiendo, mañana me van a matar.

—Córtala, Taitinger, tu chiste no tiene gracia.

Arrancó su yip sin volver la cabeza. Su certeza me heló. Patitas arrancó por su lado y vi que me miraba por el retrovisor. Después fue el desembarco del 15 de agosto de 1944, las misiones en la región de Grignolles, el implantar a cuatro de mis hombres a más de 15 kilómetros de profundidad, el reconocimiento de Orange, Bollene, Pierrelatte y Donzers para hacer un levantamiento de las posiciones enemigas. Luego vino mi citación a caballero de la Legión de Honor: "El 5 de septiembre, infiltrando a varios de sus agentes en Besancon y exponiéndose él mismo, el capitán logró determinar la naturaleza exacta y el valor de las fuerzas alemanas, localizar los centros de resistencia, permitiendo así, con pocas bajas, la liberación de la ciudad. El 14 de septiembre, al efectuar un nuevo reconocimiento personal y coordinando el trabajo de sus agentes en el este, sobre la línea Liura-Villersexel favoreció el avance de nuestras tropas al descubrir toda una zona ocupada por el enemigo. Brillante combatiente de 1939 a 1940, oficial de información que une, a un alto valor moral, capacidades técnicas incomparables, se distinguió siempre por un valor a toda prueba y un desprecio absoluto por el peligro. Al unirse a las fuerzas combatientes de África del Norte desde los primeros días, el capitán es para todos un bello ejemplo de valor y de modestia. Estas nominaciones y promociones le dan derecho a portar la Cruz de Guerra con palma. Firmado: De Gaulle". ¿Lo recordaría De Gaulle? Era poco probable. Después de todo, fuimos tantos.

—¿Por qué tantos invitados? Los mexicanos siempre somos excesivos, pero ya nos estamos acercando, unas quince personas y será nuestro turno, ¿verdad, capitán?

El capitán sonríe: "¡Qué euforia, me tiemblan los brazos, las manos, los antebrazos, me tiembla la piel, siento que me tiembla el vientre y el bajovientre, tengo adentro una incontenible alegría y no acierto a hacer nada con ella, quisiera comunicársela a alguien antes de que se me baje, pero sólo hablo conmigo mismo una y otra vez como molinillo y me desgasto y toda mi energía se me va en este recordar, en esta espuma de los días, en estas burbujas que estallan —de seguro tengo la frente cubierta de sudor—, en este no poder hacer nada, nada, nada más que hervir en mi propio jugo, dentro de la ebullición de mi sangre, de mis neuronas, pobre cabeza mía, pobre pellejo mío; ¡qué chingada guerra que me tiene en ese estado!, pero si ya no estoy en guerra, hace años que pasó y me cuesta trabajo comprenderlo; creo que la guerra permanece como mi cantimplora y mi cuchara de palo en el buró, al lado de mi cama, nunca se acaba; todas las noches son los mismos sobresaltos, los mismos obuses que caen, los mismos muros que se desploman, y uno desnudo, gritando en medio de los escombros".

Manuel Martínez Báez, de hermosa cabeza blanca, nariz aguileña, alto y distinguido, ha venido a formarse en la cola; se parece al abate Diamare, el de la Abadía de Monte Cassino. Patitas vendría a hincarse frente a él como se hincaba frente al abate pidiéndole la bendición cuando acompañó a los ciento cincuenta civiles que fueron a pedir refugio al monasterio empujados por el creciente fuego de artillería. Cuarenta mujeres gritaban: "Ábranos, ábranos", y golpearon con sus puños hasta sangrarlos sobre la puerta, y cuando el abate mandó abrir, hombres y mujeres barrieron incontrolablemente los corredores, las escaleras y los sótanos benedictinos. No sé si Patitas se enamoró de una de las italianas, pero el hecho es que bajó de la montaña impresionado. "Hay que sacarlos de allí; no tienen provisiones, se acabaron los quesos que el hermano Joaquín dejó escurriendo sobre tablas de madera, no hay luz, no hay agua, están enfermos. Hay que hacer algo por ellos." Aunque me negué a que subiera volvió a hacerlo; trepaba como cabra, jamás lo vieron. "Si todos fuéramos como tú Patitas, hace mucho que habríamos tomado Monte Cassino." Me aseguró que allá adentro no había alemanes, que sólo el abate de ochenta años, cinco monjes, algunos hermanos y un criado sordomudo atendían a los refugiados. Pasé el informe pero de todos modos se decidió el bombardeo. Al estallar la primera de una sucesión de explosiones, toda la montaña resonaba en grandes bocanadas y espasmos de trueno y creo que aliados y alemanes sentimos el mismo escalofrío. Cuando abrí los ojos, Monte Cassino parecía un montón de dientes rotos. Encontré a Patitas arriba; todavía gesticulaba como un demente, porque de entre los escombros y cubierto de polvo surgió el abate Diamare quien hizo su camino tropezándose entre las ruinas y con una pesada cruz de madera en los brazos les dijo a los pocos sobrevivientes: "Síganme". El patético grupito bajó hasta la carretera a Roma y allí los agentes de Goebbels se acercaron al anciano y lo subieron a un carro: "Es usted nuestro prisionero", le sonrieron. Pero esto, sólo habríamos de saberlo después.

Alfonso de Rozensweig se acerca a José Gallástegui (el bueno de Pepe, qué bien toca la guitarra, me gustaría volver a escucharlo), y le dice algo en voz baja. Éste, a su vez, camina hacia Joacho Bernal, el jefe del protocolo que asiente con la cabeza. Viene hacia nosotros y se detiene junto a la fila frente al diputado Enrique Ramírez y Ramírez, quien a su vez antecede a mi hija. Oigo con toda claridad lo que dice porque no se dirige a él, sino a todos nosotros los que esperamos en la fila: "Lo siento mucho pero nos hemos salido del horario, tenemos que suspender el besamanos, el señor Presidente de la República Mexicana y el señor Presidente de la República Francesa van a sentarse a la mesa". Mi mujer se vuelve a verme, pero me encamino hacia la mesa que nos han apartado, rápidamente, sin volver la cabeza; una muchacha de pelo rojo atraviesa riendo frente a mí, y al tropezarnos dice a pequeños gritos: "Pero ¡qué guapo está usted, qué gran gusto verlo, qué gusto mi querido capitán!" Me introduzco de nuevo en mi lobera y pienso en mi fiel Patitas. ¿Dónde estará ahora?

De noche vienes

Pero usted, ¿no sufre?

—¿Yo?

—Sí, usted.

—A veces, un poquito, cuando me aprietan los zapatos...

—Me refiero a su situación, señora —acentuó el *señora*, lo dejó caer hasta el fondo del infierno: se-ño-ra— y lo que de ella puede derivarse. ¿No padece por ella?

—No.

—A usted, ¿no le costó mucho trabajo llegar a donde está? ¿No fueron grandes los esfuerzos de su familia?

La mujer se removió en su silla y sus ojos verdes dejaron de interrogar al agente del Ministerio Público. Miró en el suelo la punta de sus zapatos, éstos no le apretaban; eran los del diario.

—¿No trabaja usted en un instituto que emana directamente de la Revolución Mexicana? ¿No se ha beneficiado con ella? ¿No goza usted de los privilegios de una clase que ayer apenas llegaba del campo y hoy recibe escuela, atención médica, bienestar social? Usted ha podido subir gracias a su trabajo. ¡Ah, se me olvidaba que su concepto del trabajo es un tanto curioso!

La mujer protestó con una voz muy clara, aunque sus entonaciones fueran infantiles.

—Soy enfermera titulada. Puedo enseñarle mi título, ahora mismo, si vamos a mi casa.

—¿Su casa? —ironizó el agente del Ministerio Público—, ¿su casa? ¿Cuál de todas?

El juzgado era viejo; pura madera carcomida, pintada y vuelta a pintar y la cara del agente del Ministerio Público extrañamente no se veía tan vieja, a pesar de sus hombros encorvados y los sacudimientos que los estremecían. Vieja su voz, viejas sus intenciones, torpes sus ademanes y esa manera de fijar los ojos en ella a través de los lentes e irritarse como un maestro con el alumno

149

que no ha aprendido la lección. "Las cosas —pensó ella— conta-
minan a la gente; este hombre parece un papel, un cajón, un tin-
tero. Pobre." Tras de ella, en las otras butacas no había nadie.
Sólo un policía se rascaba las verijas cerca de la puerta de salida.
Ésta se abrió para dar paso a una chaparrita que se irguió junto
al escritorio del agente del Ministerio Público y le tendió un do-
cumento. Después de revisarlo, la amonestó en voz alta: "Deben
tipificarse debidamente los delitos... Y el final, siempre se le
olvida a usted el Sufragio Efectivo no Reelección. ¡Que no se le
vuelva a pasar, por favor!" Una vez solos, la detenida volvió a
inquirir con su voz aguda:

—¿Podría llamar a mi casa?

El licenciado estaba por repetir hiriente: "¿A cuál de ellas?",
pero prefirió emitir una negativa redondeando la boca en tal forma que todas las arrugas convergieron en un culo de pollo.

—No.

—¿Por qué?

—Porque es-ta-mos-en-ple-no-in-te-rro-ga-to-rio. Estoy levantando un acta.

—Ay y si quiero ir al baño, ¿tengo que aguantarme?

"Dios mío, esta mujer es retrasada mental ¿o qué? Pero si así
fuera ¿habría recibido su título?", inquirió con renovada curio-
sidad.

—¿A quién quisiera usted hablarle?

—A mi papá.

—A su papá... a-mi-pa-pá —arremedó—. Así es de que encima de todo tiene usted papá.

—Sí —dijo ella columpiando las piernas—, sí, me vive mi papacito.

—¿Ah, sí? ¿Y su papá sabe qué clase de hija tiene?

—Yo me parezco a él —dijo la mujer-niña con una sonrisa—.
Siempre nos hemos parecido, siempre, siempre.

—¿Ah sí?, ¿y a qué horas lo ve, si me hace el favor?

—Los sábados y domingos; procuro pasar los fines de semana
con él.

La dulzura del tono hizo que el policía dejara de rascarse.

—¿Todos los sábados y domingos?

—Bueno no todos, alguna vez se presenta una emergencia y no
voy. Pero siempre le aviso por teléfono.

—Y a los demás ¿les avisa usted?

—También.

—Procure no balancearse, señora, estamos en un juzgado.

La mujer miró con sus ojos candorosos las diez butacas vacías tras de ella, el mostrador de palo pintado de gris y los archiveros altísimos *D.M. Nacional*. Al pasar por las piezas que antecedían a la oficina del agente del Ministerio Público, casi se le vinieron encima los escritorios de lámina, ellos también cubiertos de expedientes apilados sin orden, algunos con una tarjeta blanca entre las hojas a modo de señal. Incluso, estuvo a punto de tirar uno de los alteros peligrosamente esquinado tras el cual comía su lunch una mujer gorda acodada a la mesa. Por lo visto le había dado previas mordidas a su torta y ahora le añadía con fruición grandes y sebosas tajadas de aguacate rebanadas con la plegadera. También el piso de granito muy gastado, grisáceo, era sórdido aunque a diario lo trapearan, y las ventanas que daban a la calle, por cierto muy chiquitas, tenían unos barrotes gruesos y pegados los unos a los otros. Los vidrios siempre sucios dejaban pasar una luz terregosa y triste; se veía que a nadie le importaba esta casa, que todos huían de ella una vez terminado el trabajo, que ningún aire entraba a las oficinas al no ser el de la puerta de la calle que se cerraba de inmediato. La gorda guardó en una bolsa de papel estraza en la que también había un plátano, los restos de la torta seguramente para acabarla más tarde y el cajón se cerró con un ruido de resorte. Luego, con las mismas manos, se enfrentó a su máquina de escribir. Todas eran altas, muy viejas y la cinta jamás regresaba sola. La gorda introdujo su dedo en el carrete, la uña al menos, y se puso a regresarla, después se cansó y con el dedo entintado, jaló el cajón de enmedio del escritorio y sacó una pluma atómica que metió en el centro de la cinta. Cuando acabó, y ya con los anteojos puestos, procedió a iniciar la tarea sin importarle que la detenida en la antesala, alcanzara a leer el oficio. "El de la voz afirma no haber estado en su casa a la hora de los acontecimientos..." Se interrumpió para acomodar las copias, mojándose el pulgar y el índice; todos los oficios se hacían con diez copias y cuando bien les iba con cinco, por eso, en los botes de basura cuadrados y grises había mucho papel carbón gastado. con las siglas D.D.F. "¡Híjole!, cuánto papel carbón, ¿para qué querrán tanta copia?" Todos en el juzgado parecían estar inoculados en contra de la crítica y la autocrítica; unos se rascaban las costillas, otros los sobacos, las mujeres se arreglaban un tirante del brasier, pujando. Pujaban también al sentarse, pero una vez sentadas volvían a levantarse para ir a otro escritorio y consultar algo que las hacía rascarse la nariz o pasarse repetidas veces la lengua sobre los dientes buscando algún prodigioso miligramo que una vez hallado se sacaban con el dedo meñique. Total, que si ninguno se veía a sí mismo, ninguno veía tampoco a los demás.

—Que manden a García para tomar la declaración.

—¿Cuántas copias van a hacer? —preguntó la acusada.

Nada turbaba la limpidez de su mirada, ninguna sombra, ninguna segunda intención en la superficie brillante. El agente del Ministerio Público tuvo que responder:

—Diez.

—¡Ya lo sabía! —exclamó triunfante.

—Pues ¿cuántas veces la han detenido?

—Nunca, ésta es la primera. Lo sé porque me fijé en la entrada. Soy muy observadora —dijo con risa satisfecha.

—Debe serlo para poder sostener una situación semejante durante siete años.

La mujer sonrió, una sonrisa fresca, inocente, y el juez pensó: "Con razón..." y estuvo a punto de esbozar una sonrisa: "Debo mantener esto en un terreno impersonal, pero ¿cómo hacerlo con esta mujer que parece estar jugando, cruza y descruza las piernas y enseña unas rodillas doradas, redondas, perfectamente bien acabadas?"

—Vamos a ver... Su nombre.

—Esmeralda Loyden.

—¿Edad?

—Veintisiete años.

—¿Lugar de nacimiento?

—México, Distrito Federal.

—¿Defeñita?

—Sí —sonrió de nuevo Esmeralda.

—¿Domicilio?

—Mirto número 27, interior 3.

—¿Colonia?

—Santa María la Rivera.

—¿Zona postal?

—Cuatro.

—¿Oficio?

—Enfermera. Oiga, señor juez, el domicilio que le di es el de mi papá —sacudió su cabeza productora de cabellos y rizos—. Las otras direcciones usted las tiene.

—Bueno, ahora vamos a ver lo de sus actas. ¿Está usted tomando nota, García?

—Sí, licenciado.

—¿Católica?

—Sí.

—¿Profesa?

—Sí.

—¿A qué hora?

—Siempre voy a misa los domingos, señor juez.

—¿Ah, sí? ¿Y cómo se siente?

—Bien, señor juez, sobre todo, me gustan las misas cantadas.

—¿Y las de gallo? Ésas deben gustarle más —carraspeó el viejo.

—Ésa es una vez al año, pero también me emociona.

—¿Ah, sí?, y ¿con quién va?

—Con mi papá. Procuro pasar la Navidad con él.

Esmeralda agrandó sus ojos verdes como el pasto tierno que nunca ha sido pisado. "Pero si hasta parece una virgen", pensó el agente.

—Vamos a ver, García. Vistos para dictar sentencia a la causa número 132/6763, instruida en el Juzgado Trigésimo Segundo Penal por los delitos de adulterio quintuplicado.

—¿Quintuplicado, licenciado?

—Son cinco, ¿o no?

—Sí, licenciado, pero sólo la acusa uno.

—Pero está casada con los cinco, ¿o no?

—Sí, señor.

—Apunte usted, entonces, veamos la primera acta de Querétaro, estado de Querétaro. Dice así: "Estados Unidos Mexicanos. En el nombre de la República de México y como Juez del Estado Civil de este lugar hago saber a los que la presente vieren y certifico ser cierto que en el libro número "Matrimonios" del Registro Civil que es a mi cargo, a la foja 18, año de 1948, permiso de Gobernación número 8577, Exp. 351.2/49/82756 de fecha 12 de junio de 1948, F.M. a las veinte horas, ante mí comparecen el ciudadano Pedro Lugo Alegría y la señorita Esmeralda Loyden con el objeto de celebrar matrimonio bajo el régimen de Sociedad Conyugal". ¿Tomó nota, García? Como ésta, hay cuatro actas más, todas debidamente legalizadas y timbradas. Sólo cambian los nombres de los ciudadanos contrayentes del sexo masculino porque el de la contrayente, nanay, siempre es el mismo: Esmeralda Loyden. Aquí hay una acta levantada en Cuernavaca, Morelos; otra en Chilpancingo, Guerrero; otra en los Mochis, Sinaloa; y la quinta en Guadalajara, Jalisco. Hasta eso, además de bígama, le gusta a usted viajar, señora.

—No crea usted que tanto, licenciado, ellos son los que... bueno, por aquello de la luna de miel.

—¡Ah, sí!

—Sí, licenciado, por mí, me hubiera quedado en el Distrito Federal —añadió con voz melodiosa.

De nuevo entró la chaparrita con su folder. El agente, exasperado, tomó el papel con brusquedad y vociferó:

—..."con las inspecciones oculares y fe ministeriales, tanto de los daños causados durante el desarrollo de los acontecimientos citados en el inciso inmediatamente anterior..." y ya de ahí sígase usted sola, si no es más que una copia... ¡Ah, y mire! Se le olvidó otra vez el Sufragio Efectivo no Reelección, ¿no le digo?, pues no se distraiga. Que no vuelva a suceder, por favor.

Se veía que al agente ya le andaba por volver al caso de Esmeralda Loyden porque cuando la enana cerró la puerta, se apresuró a decir:

—Los nombres de los contrayentes, García, deben aparecer en el ordenamiento jurídico por riguroso orden alfabético: Carlos González Ramos, Pedro Lugo Alegría, Gabriel Mercado Zepeda, Livio Martínez Cruz, Julio Vallarta Blanco... uno, dos, tres... cuatro, cinco —contó para sí mismo el juez... —Así es de que usted viene siendo la señora Esmeralda Loyden de González.

Esmeralda Loyden de Lugo.

Esmeralda Loyden de Martínez.

Esmeralda Loyden de Mercado.

Esmeralda Loyden de Vallarta... Ujum. ¿Cómo le suena a usted, García?

—Bien.

—¿Cómo que bien?

—Los nombres están correctos, licenciado, pero el único en hacer la denuncia es Pedro Lugo Alegría.

—No le estoy preguntando eso, García, estoy haciendo hincapié en la implicación moral, legal, social y política del caso que por lo visto a usted se le escapa.

—¡Ah, bueno, licenciado!

—¿Se ha encontrado usted, García, con algún caso semejante a lo largo de su vida?

154

—No, licenciado, bueno, no en una mujer porque en hombres... —García chifló en el aire; el silbido largo como de tren que pasa.

—Veamos lo que tiene que decir la acusada. Pero antes, permítaseme una pregunta estrictamente personal, señora Esmeralda. ¿No confundía usted a Julio con Livio?

Esmeralda, con la vista fija, semejaba una criatura frente a un kaleidoscopio de una profundidad insondable bajo el flujo de las aguas transparentes de sus ojos; un kaleidoscopio en el aire, puesto allí sólo para ella. El juez, despechado, tuvo que repetir su pregunta y Esmeralda se sobresaltó como si la pregunta le molestara:

—¿Que si los confundo? ¡Oh, no, señor juez, son tan distintos!

—¿Nunca tuvo usted una duda, un tropiezo?

—¿Cómo podría tenerlo? —respondió con energía—, los respeto demasiado.

—¿Ni siquiera en la oscuridad?

—No lo entiendo, licenciado.

Esmeralda posó sobre el viejo una mirada tranquila, límpida y el agente tuvo que dar marcha atrás. "¡Es increíble —pensó—, increíble, soy yo el que ahora voy a tener que pedirle una disculpa!" Entonces arremetió:

—¿Se sometió usted al examen ginecológico con el médico legista?

—No, ¿por qué? —protestó García—, si no se trata de un caso de violación.

—Ah, sí, de veras, a los que habría que someter es a ellos —rio el agente manoteando vulgarmente.

La mujer sonrió también, como si no se tratara de ella; sonrió por gentileza, para acompañar al viejo y esto lo desconcertó aún más.

—¿Así es de que cinco? —tamborileó en la puerca mesa de madera.

—Los cinco me necesitaban.

—Y usted pudo prodigarse.

—Tenían una urgencia mucho muy considerable.

—¿Y los hijos? ¿Tiene hijos? —preguntó casi con respeto.

—¿Cómo podría tenerlos? Ellos son mis hijos, los cuido y los atiendo en todo, no tendría tiempo para otros.

El juez no pudo proseguir; los chistes de doble sentido, las groserías, los comentarios ingeniosos le pasaban por encima y García

155

era una bestia peluda, una res echada, parecía incluso haberse solidarizado con la acusada. ¡No faltaba más! No estaría pensando en convertirse... Tendría que esperar la hora de la cantina para compartir con los cuates el rostro y la vida de esta mujer que sonreía simplemente porque sonreír era parte de su naturaleza.

—Supongo que al primero lo conoció usted en el parque.

—¿Cómo lo sabía? Sí, a Carlos lo encontré en el Parque Hundido; yo leía allí la novela de José Emilio Pacheco *Morirás lejos*.

—¿Así es de que a usted le gusta leer?

—No, es al único que he leído, y eso porque a él lo conozco —Esmeralda se animó—. Yo creí que era un cura, fíjese usted, coincidimos en un pesero y al bajar le pedí: "Padrecito, déme la bendición" y él se puso nerviosísimo, hasta sudaba, y me tendió algo negro: "Mire, para que vea que no lo soy, le regalo mi libro".

—Bueno, ¿y qué pasó con Carlos?

—Pedro, perdón, Carlos se sentó en la banca en donde yo leía y me preguntó si estaba bonito y así empezó todo. ¡Ah, no!, luego se le metió una basura en un ojo —ya ve que febrero es el mes de las tolvaneras—, y ofrecí sacársela, le estaba llorando muchísimo, le dije que yo era enfermera y pues... se la saqué. Oiga, y a propósito estoy viendo desde hace rato que a usted le llora mucho el ojo izquierdo, por qué no le dice a su esposa que le ponga tantita manzanilla, pero no de la del sobre, de la fresca, pero que se la den bien floreadita, dígale a su esposa, yo si pudiera se lo hacía, pero necesita estar limpísimo el pocillo en el que se hierve una nadita de manzanilla, pero de la buena y luego mantenerse así, la cabeza echada para atrás, unos diez minutos a que le penetre bien, va usted a ver cómo descansa, así la pura flor de la manzanilla.

—Así es de que usted es de las que se ofrecen... a ayudar.

—Sí, licenciado, es mi reacción natural. También con Gabriel sucedió lo mismo; se había flameado el brazo, viera usted qué feo lo tenía, una pústula tras otra y lo curé, a mí me tocó vendarlo, me lo ordenó la doctora Carrillo. Ya cuando se alivió, me dijo no sé cuántas veces que lo que más quería en la vida, además de mí, era su brazo derecho porque por él...

Las cinco historias de Esmeralda Loyden eran parecidas, un caso suplantaba a otro con muy pocas variantes. Relataba sus matrimonios con ojos luminosos y confiados, a veces, era hasta inocentemente fatua en sus asertos: "Sin mí, Pedro no puede vivir. No sabe ni dónde están sus camisas". Al agente del Ministerio

156

Público le temblaban sobre los labios los términos perversión, perfidia, depravación, el más absoluto descaro, pero nunca se presentó la oportunidad de emitirlos y eso que le quemaban la lengua. Con Esmeralda perdían todo su sentido. Su relato era llano, sin recovecos, simple, los lunes eran de Pedro, los martes de Carlos y así hasta completar la semana, inglesa por supuesto, porque los sábados y los domingos los destinaba a lavar y planchar su ropa y la de ellos y preparar algún guiso para Pedro, el más antojadizo de los cinco. Cuando surgía una emergencia, un cumpleaños, un santo, un día de campo, entonces daba también su sábado, su domingo. No, no, ellos lo aceptaban todo, con tal de verla, y ella siempre les puso como única condición, el no abandonar su carrera de enfermería.

—Y ellos, ¿están conformes con que les dé usted un solo día?

—A veces les toca su pilón. Además, ellos también trabajan. Carlos es agente viajero pero siempre procura estar en México los miércoles, ésos no se los pierde, Gabriel vende seguros, también viaja y es tan inteligente que le han ofrecido chamba en la I.B.M.

—Y ¿nunca han deseado un hijo?

—Nunca me lo han dicho así de fuerte. Cuando lo platicamos les respondo que apenas llevamos unos años, que el amor se madura.

—Y ellos, ¿aceptan?

—Sí, por lo visto.

—Pues, por lo visto, no, ya se le cayó su teatrito porque la han denunciado, señora.

—Ése fue Pedro, siempre ha sido más colérico, más enérgico, pero en el fondo, señor juez, es muy buena onda, tiene buen corazón, haga usted de cuenta, la leche que se sube y después se arrepiente... ya lo verá usted.

—No voy a ver nada porque usted está consignada; lleva ocho días en los separos. ¿O no lo ha notado, señora Esmeralda, no le pesa el encierro?

—No tanto, aquí todos son muy buenas gentes; además se pierde la noción del tiempo. He dormido por lo menos ocho horas por la noche, porque en verdad estaba yo cansada.

—Me lo imagino. Entonces, usted, ¿no la pasa mal nunca?

—No. Nunca me he dormido con una cosa mala en la cabeza

Y de veras, la muchacha se veía bien; la piel saludable y limpia, los ojos brillando de salud; toda ella de una apacible tersura. ¡Ah!, y también el pelo le brillaba, un pelo de animalito recién nacido, un pelo fino que daban ganas de acariciar así como daban ganas de jalar su nariz respingada. El licenciado tuvo un arrebato de furia, ya estaba harto de tanta inconsecuencia:

—Y, ¿qué no se da cuenta de que vivió en la promiscuidad más absoluta, que engañó, que en-ga-ña, que usted no sólo es inmoral sino amoral, que no tiene principios, que es pornográfica, que el suyo es una caso de enfermedad mental, que su ingenuidad es un signo de imbecilidad, dad, dad... —empezó a tartamudear— ¡Gentes como usted minan nuestra sociedad en su base, destruyen el núcleo familiar, son una lacra social! ¿Qué no se da cuenta de todo el mal que ha hecho con su conducta irresponsable?

—¿Mal a quién? —chilló Esmeralda.

—A los hombres que engaña, a sí misma, a la sociedad, a los principios de la Revolución Mexicana.

—¿Por qué? Los días compartidos son días felices, armoniosos, que a nadie dañan.

—¿Y el engaño?

—¿Cuál engaño? Una cosa es no decir y otra cosa es engañar.

—Usted está loca. Además, lo va a corroborar el alienista; de eso tenga plena certeza.

—¿Ah, sí?, y entonces ¿qué pasará conmigo?

—¡Ah, hasta ahora se preocupa de eso! Es la primera vez que piensa en su suerte.

—En realidad, sí, licenciado, nunca ha estado dentro de mi carácter preocuparme.

—Yo no sé qué clase de mujer es usted, no la entiendo. O es una débil mental... o no sé, una cualquiera.

—¿Una cualquiera? —se puso seria Esmeralda—, eso dígaselo a Pedro.

—A Pedro, a Juan y a varios, a cualquiera de sus cinco maridos que cuando lo sepan van a pensar lo mismo.

—No creo que piensen lo mismo; todos son distintos, yo no pienso lo mismo que usted ni podría.

—Pero, ¿no se da cuenta de su terrible inconsciencia? —pegó el agente con el puño sobre la mesa haciendo volar el polvo milenario—. Es usted una pu... Se comporta como una prosti... (curiosamente, ante ella no podía terminar las palabras; su sonrisa lo cohibía; mirándola bien nunca había visto a una muchacha tan bonita, no es que fuera bonita así a las primeras de cambio sino que iba creciendo en salud, en limpieza, en frescura; parecía acabada de bañar, eso era, recién salidita del baño, ¿cuál sería su olor?, pue que a vainilla, una mujer con todos sus dientes, bien que se le veían cuando echaba la cabeza para atrás riéndose, porque se reía la muy descarada). —Bueno y usted ¿no se desprecia a veces como si fuera basura?

—¿Yo? —interrogó sorprendida—, ¿por qué?

El agente se sintió desarmado:

—García, llame usted a Lucita para que consigne la declaración.

Lucita resultó ser la del aguacate y el plátano. Llevaba su block de taquigrafía bajo el brazo, el dedo todavía entintado. Se sentó pujando y murmuró: "La dicente. . . ."

—No, mire, tómelo directamente a máquina, sale mejor. ¿Qué tiene usted que decir en su defensa, señora Esmeralda?

—No conozco los términos jurídicos, no sabría decir. ¿Por qué no me aconseja usted que es tan competente, licenciado?

—Es. . . es. . . es el colmo —tartamudeó el agente—, ahora yo soy el que tengo que aconsejarla, lea usted el expediente, Lucita.

Lucita abrió un folder con una tarjeta blanca en medio y advirtió:

—No está firmado.

—Si quiere —propuso Esmeralda—, firmo.

—Si no ha declarado ¿cómo va a firmar?

—No importa, firmo antes. Al fin que me dijo Gabriel que en los juzgados ponen lo que quieren.

—Pues su Gabriel es un mentiroso y voy a tener el gusto de enviarle un citatorio acusándolo de difamación.

—¿Podré verlo? —preguntó gustosa Esmeralda.

—¿A Gabriel? Dudo mucho de que él quiera poner los ojos en usted.

—Pero el día que venga, ¿me mandará usted llamar?

(Loca, tarada, animala, todas las mujeres están locas, son unas viciosas, unas degeneradas, dementes, bestias, mira que meterse con cinco a la vez y amanecer como la fresca mañana, porque a esta mujer no le hacen mella tantas y tantas noches de guardia ni le llega nada de lo que le digo, por más que me empeño en encauzarla, en hacerla comprender.)

—Para entonces ya estará usted tras las rejas de Santa Marta Acatitla, por desacatos a la moral, por bígama, por insensata (barajó otros posibles delitos), por agravios a particulares, asociación delictuosa, invitación a la rebelión, ataques a las vías públicas, sí, sí, ¿no se encontraron en el parque usted y Carlos?

—Pero ¿podré ver a Gabriel?

—¿Al que más quiere es a Gabriel? —preguntó súbitamente intrigado el agente del Ministerio Público.

—No. Los quiero a todos, a toditos, a todos igual.

—¿Hasta a Pedro quien la denunció?

—Ay, mi Pedrito lindo —dijo ella acunándolo entre sus pechos por lo visto muy firmes porque se mantuvieron erectos mientras ella hacía el ademán de mecer a Pedro.

—Nada más eso me faltaba.

Lucita con su lápiz tras la oreja, ensartado en su pelo grasiento, hacía tronar algo entre sus manos, una bolsa de papel estraza, quizá para que el agente la tomara en cuenta o para que cesaran sus gritos. Hacía rato que no le quitaba los ojos de encima a la acusada, de hecho cuatro o cinco empleados no perdían palabra del careo; Carmelita dejó su *Lágrimas y Risas* y Tere también arrumbó su fotonovela, Carvajal se había parado junto a García y Pérez y Mantecón escuchaban sin parpadear. En ese juzgado todos usaban corbata pero se veían sucios, sudados, la ropa pegada como cataplasma, los trajes lustrados, llenos de lamparones, del horrible color café que acostumbran los morenos y los hace parecer una tablilla de chocolate rancio. Lucita suplía su baja estatura con colores chillones; por ejemplo, una falda verde con una blusa naylon amarilla o al revés; puras combinaciones cirqueras, pero ahora su expresión era tan entusiasta que se veía atractiva; el interés los ennoblecía a todos; habían dejado de chanclear, rascarse, embarrarse en contra de los muros; ninguna desidia podía flotar ahora en el recinto; cobraban vida, recordaban que alguna vez fueron hombres, y no sólo eso sino jóvenes, ajenos al papeleo y a la tarjeta marcada; una gota de agua cristalina resplandecía sobre cada una de sus cabezas: Esmeralda los estaba bañando.

—Allá afuera esperan los de la fuente —advirtió Lucita al agente del Ministerio Público.

El agente se levantó. Tenía la costumbre de no hacer esperar a la prensa: el cuarto poder. Entre tanto, Lucita se acercó a Esmeralda y le palmeó el muslo.

—No se preocupe, chula, yo estoy con usted, ¿eh, chula? A mí hasta gusto me da porque el desgraciado con quien me casé, al rato ya tenía otra y hasta le puso casa y aquí me tiene haciendo oficios. Así es de que qué mejor que una como usted se vengue. Yo le voy a ayudar en la averiguación previa, por mi madre que le ayudo, chulita, y no sólo yo, también Carmelita la del escritorio allá fuera y Carvajal y Mantecón y Pérez y don Miguelito, que es algo anticuado, pero bueno, pa qué le digo, pa nosotros usted vale más que Yesenia. Vamos a ver, yo le empiezo el oficio: "La dicente..." (Ya para entonces, Esmeralda, sentenciada o no, sentía un sueño que la hacía acurrucarse en el asiento como un gatito que a todos resultaba grato, sobre todo a Lucita cuyas teclas volaban jubilosas entre los términos legales, que si escritos son totalmente oscuros, dichos en voz alta resultan entidades innominables, pero que Lucita se empeñó en comunicar a Esmeralda en voz alta para dar mayor prueba de su fidelidad. En un momento dado, después de mecanografiar "Servicios Coordinados de Prevención y Adaptación Social", y darse cuenta de la nula respuesta de la de la voz, Lucita le susurró al oído: "Tiene sueñito, mi chula, ya merito acabamos, no más me falta lo de la reparación del daño y el notifíquese, amonéstese a la sentenciada, ya no me cupo, bueno allí se va conforme a la ley, hágasele saber el derecho y término que tiene para la apelación, expídance, creo que es con s, ni modo, las boletas y copias correspondientes, la palabra copula lleva acento pero no se la puse en ninguna de las cinco veces, ni que importara tanto. A ver, mi linda, échele aquí una firmita y... oiga ¿le traigo un refresquito pa que se despabile? Éstas son las fichas signaléticas, se le decreta la formal prisión como presunta responsable pero ni caso haga porque no vamos a dejar que esto suceda; falta el certificado médico y la fe de avalúo correspondiente, las conclusiones de ley, que todas van a serle favorables, va a ver chulita, de eso me encargo yo, a usted, no puede irle mal.)

En los separos, después de un buen caldo con alón y muslo, Esmeralda durmió rodeada de la simpatía de las celadoras. Al día siguiente, muchas agrupaciones acudieron a manifestarle su adhesión, los sectores femeniles de varios partidos, y René Cardona junior, muy insistente en filmar una película al vapor. Los de la fuente habían dado la noticia en forma escandalosa: "Cinco, como los dedos de la mano" a ocho columnas en la sección de policía y el *Ovaciones* en grandes titulares negros publicó: "Vaya quinielita y el jockey es una mujer", con tres puntos de exclamación de cada lado. Un editorialista inició sombríamente su columna: "Una vez más es confrontada y puesta a prueba nuestra naturaleza primitiva" y abundó en lo de los bajos instintos, y otro, obviamente un técnico del CONACYT, habló de la multiestratificación de la mujer, su cosificación, el trabajo doméstico no asalariado que por ende no le permite acceder a las señeras cimas de la cultura y otras peligrosas tergiversaciones que los lectores se prometieron leer para más tarde. En fin, el día resultó ajetreado; entre los múltiples visitantes se asomaron dos monjas muy agitadas, y eso sin hablar de las religiosas sin hábito que son muchas, sumamente progresistas y casi siempre francesas. "Híjole", pensó Lucita, "qué estimulante, qué día para nosotras. Aunque Esmeralda esté medio piradona, nos sirve de bandera y su lucha es la nuestra". El agente del Ministerio Público se encargó —al ver los ánimos caldeados— de echarle agua fría al anunciar:

—La audiencia se hará a puerta cerrada.

Lucita desapareció casi tras la altura de la vieja máquina de escribir con su cinta que tenía que regresar con el dedo:

"En Iztapalapa, Distrito Federal, siendo las diez horas y treinta minutos del día 22, estando dentro del término señalado por el Artículo 19 Constitucional se procedió a resolver la situación jurídica de la señora Esmeralda Loyden de González, de Lugo, de Martínez, de Mercado, de Vallarta, a quien el Ministerio Público le imputa la comisión de los delitos de adulterio en quinto grado, considerado el cuerpo del delito de bigamia, previsto por el artículo 37 párrafo primero del Código Penal, que se encuentra comprobado en los términos del Artículo 122 del Código de Procedimientos Penales con la fe de daños presentada por el denunciante el que en su estado normal dijo llamarse Pedro Lugo Alegría, quien protestado y advertido en términos de ley para que se conduzca con verdad y sujeto a las sanciones a los que declaran con falsedad manifestó llamarse como queda escrito, de treinta y dos años de edad, casado, católico, con instrucción, empleado, originario de Coatzacoalcos, estado de Veracruz, quien en lo esencial de su declaración dijo que el lunes 28 de mayo al no ver llegar a su esposa como acostumbraba todos los lunes a las veinte horas en punto al domicilio conyugal sito en Patriotismo número 246, interior 16, zona postal 13, colonia San Pedro de los Pinos, fue a buscarla al hospital donde decía trabajar y al no hallarla preguntó si asistiría a la noche siguiente y fue informado por la recepcionista que pasara a la dirección ya que el nombre de la solicitada no aparecía en la lista de guardia, que creía que probablemente ésta trabajaría de día pero que como ella entraba en el segundo turno no le constaba y no podía abundar al respecto, ya que se le había hecho tar... (así nada más "tar" porque a Lu-

cita no le cupo la sílaba "de" y simplemente la dejó caer)
y por lo tanto y a renglón seguido se veía en la necesidad
de enviar al quejoso a la dirección a recabar mayores informes y que en la susodicha dirección fue informado el acusador que la que él llamaba su esposa jamás tenía turnos
nocturnos, por lo cual el hombre tuvo que ser sujetado po-
niéndole las manos hacia atrás, cosa que hicieron dos cami-
lleros que el director mandó llamar, temiendo que el hombre
no estuviera en sus cabales, que vieron después cómo el hoy
acusador salió trastabillando, fuera de sí, recargándose en las
paredes pues sostenía con la deponente relaciones sexuales
siendo su legítimo marido como consta en el acta número
13797 a fojas 18, siendo ella mujer púber, multípara cuando
la desposó hace siete años. Después el acusador procedió a
ulteriores investigaciones abundando en lo que queda glo-
sado en el expediente número 347597, sin el conocimiento
de la deponente y logró enterarse que en su misma situación
se encontraban los otros cuatro cónyuges a quienes procedió
a informar de la quintuplicidad de la acusada. La presunta
responsabilidad penal de la inculpada en la comisión de los
delitos cometidos con un original y cinco copias (el original
para Pedro Lugo Alegría, siendo él, el primero y principal
acusador que les imputa la Representación Social, se encuentra acreditada hasta este momento procesal, con los
mismos elementos de prueba mencionados, en el consideran-
do que precede, destacando la imputación directa que hace
el ofendido y sobre todo, la fe de la ropa y objetos personales
de la inculpada en los cinco domicilios arriba mencionados
así como los numerosos datos personales, pruebas fotográfi-
cas, dedicatorias de fotografía, cartas y misivas amorosas en
que se prodigaba la acusada, aportados por los agraviados y
ante todo, la prueba indudable y fehaciente de las actas ma-
trimoniales y los consiguientes actos que se derivan del suso-
dicho y que a decir de los cinco y de la propia acusada fueron
debida y enteramente consumados, a plena satisfacción, en
la persona física de Esmeralda Loyden, dícese enfermera de
profesión. Que la de la voz emitió declaraciones que no se
encuentran apoyadas en alguna prueba que las haga creíbles
y sí en cambio desvirtuadas por los elementos a que se hizo
alución (alución con c), que la de la voz no manifestó re-
mordimiento en ningún momento ni pareció darse cuenta que

se le imputaban cinco delitos, que nada tuvo que objetar salvo que tenía sueño, que la de la voz se presta con notable docilidad a que se le practiquen todas las pruebas y se lleven a cabo todas las diligencias que sean necesarias para el esclarecimiento de los hechos, así como las que promuevan las partes, de acuerdo con las fracciones III, IV y V del artículo 20 de la Constitución Federal, notifíquese y cúmplase, naturaleza y causa de acusación. En la misma fecha, la Secretaría de la Oficialía de Partes hace constar que el término para que las partes ofrezcan mayores pruebas en la presente causa empieza a correr a partir del día 20 de junio en curso y concluye el día 12 de julio próximo. Conste. Doy fe. Sí vale."

Cuando el Agente del Ministerio Público estaba por poner su firma al calce, gritó enojado:

—Lucita ¿qué pasó? ¡Otra vez se le olvidó el Sufragio Efectivo no Reelección!

Después, todo fueron murmullos. Unos cuentan que Esmeralda salió entre sus celadores rumbo a la julia seguida por la fiel Lucita, que le había preparado una torta para el viaje, García el escribiente, quien le besó la mano, y la mirada afectuosa del agente del Ministerio Público. Al despedirla volvió a instarle, tomando sus dos manos entre las suyas y conmoviendo a todos por lo sentido de sus palabras: "Esmeralda, mire lo que pasa por andar en estas cosas, hágame caso, está usted muy joven, aléjese de todo ello, Esmeraldita, formalita la muchacha, de ahora en adelante muy formalita". Muchos espectadores hicieron sonreír a la presunta responsable al aplaudir su paso menudo y cantarino. Otros, en cambio, fueron testigos de que entre la concurrencia, detrás del barandal gris de madera pintado y vuelto a pintar con una capa cada vez más delgada, Esmeralda Loyden sintió que la taladraba la mirada intensísima de Pedro Lugo Alegría, su acusador, y en el otro extremo los anteojos de miope de Julio, quien le hizo una señal amistosa con la mano. En el momento de subir a la julia, Esmeralda no vio a Carlos, pero sí a Livio, con el pelo casi al rape y los ojos arrasados en lágrimas. Todavía alcanzó a gritarle: "¿Por qué te lo cortaste? Ya sabes que no me gusta", cosa que inmediatamente consignaron los periodistas. Ninguno de ellos faltó, ni siquiera el agente viajero. Voces autorizadas han hecho circular el rumor de que los cinco maridos intentaron desistir de la acusación ya que todos deseaban que la de la voz regresara. Pero como ya la sentencia estaba dictada y no podían apelar a la Suprema Corte de Justicia porque el caso había recibido demasiada publicidad, tuvieron que conformarse con ir cada uno por turno, a la visita conyugal en Santa Marta Acatitla, lo cual de todos modos no cambiaba mucho la situación de facto et in situ, puesto que anteriormente sólo la veían una noche por semana. Incluso ahora coincidían en no pocas ocasiones los domingos en la visita general, cada uno con algún antojito en el que tuvieron que ponerse de acuerdo para no repetirse y llevar un variado espectro que complaciera a Esmeralda así como a Lucita, a Carmelita, a Tere, a García, a Carvajal, a Pérez, a Mantecón y al agente del Ministerio Público que de vez en cuando se presentaba muy circunspecto habiéndose aficionado a las respuestas de la acusada. Sin embargo, de todo ello no pudo hacerse un acta ya que acusadores y acusada, juez y partes se arrepintieron de su desmesura al haber levantado la primera número 479/32/875746, a fojas 68, y todo quedó inscrito en el llamado libro de la vida que es muy cursi y que antecede al que en la actualidad se utiliza para consignar los hechos y tiene un nombre muy feo: certificación de cómputo. Conste, doy fe, sí vale.

Sufragio Efectivo No Reelección.

De noche vienes

se terminó de imprimir el día 20 de marzo del 2001, en los talleres de Encuadernación Técnica Editorial, S.A., Calz. San Lorenzo 279, 45-48, 09880 México, D. F.

A lo largo de sus páginas, la autora, sin esconder sus limitaciones, pretende rendirles homenaje al amor, a la soledad, a los niños, a los árboles, a los que se han ido, a las piedras del camino y, sobre todo, a la paciencia y la buena voluntad de los señores tipógrafos, formadores, correctores, impresores y encuadernadores que hicieron posible este libro.

Elena Poniatowska

Elena Poniatowska
en Ediciones Era